DEUTSCHLAND
Von der Nordsee bis zu den Alpen

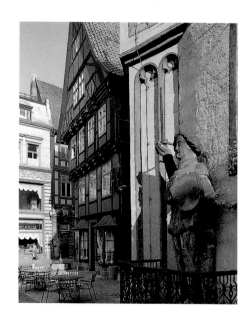

GERMANY
From the North Sea to the Alps

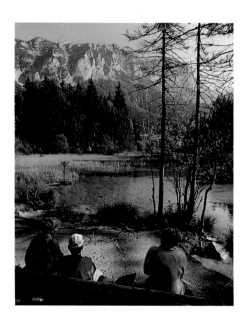

ALLEMAGNE
De la mer du Nord aux Alpes

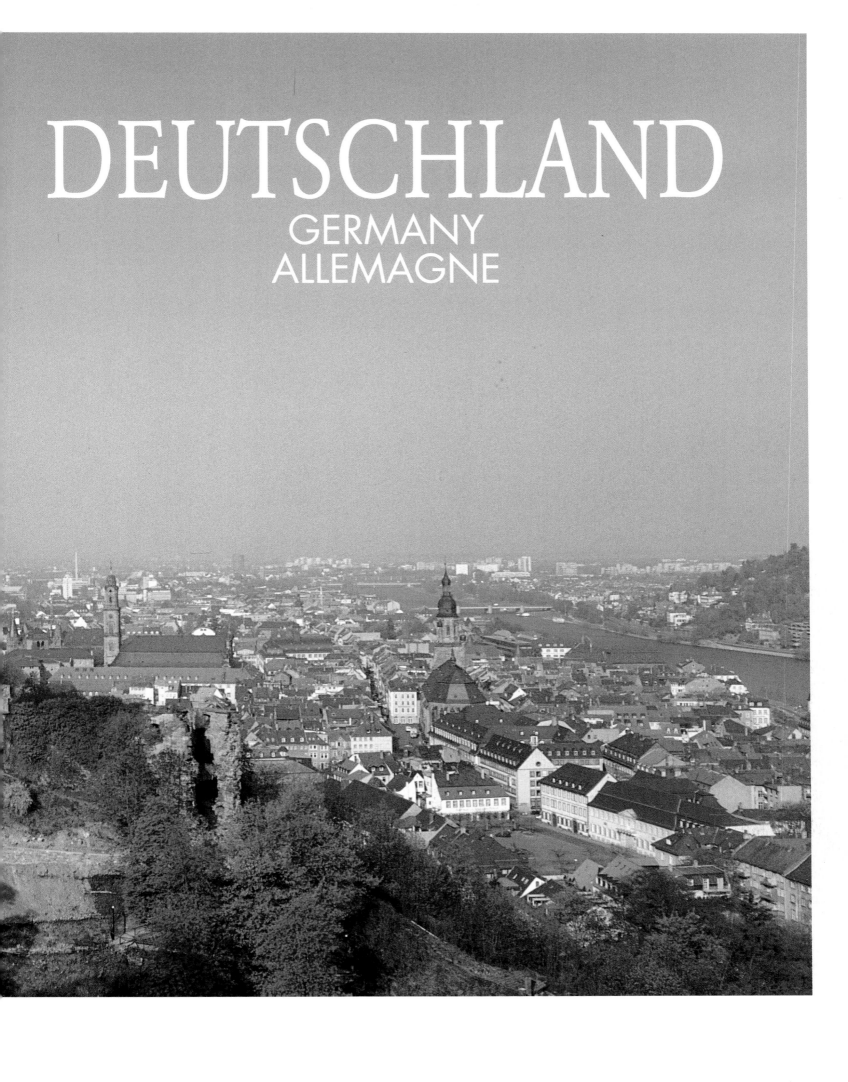

DEUTSCHLAND
GERMANY
ALLEMAGNE

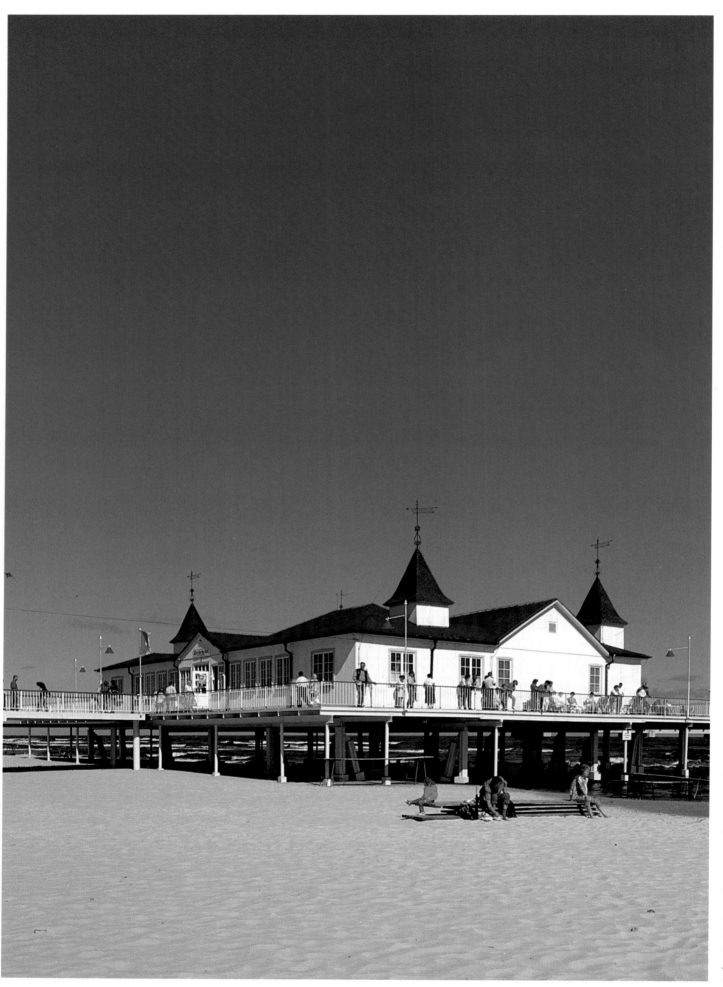

■ Inhalt   ■ Contents   ■ Sommaire

Deutschland
EINE BILDERREISE

von Hans Dollinger

■ «Reisen bildet» hat schon Goethe in *Wilhelm Meisters Lehrjahre* dem «gescheiten Menschen» angeraten und dem weniger reiselustigen Schiller in einem Brief erklärt: «Für Naturen wie meine ist eine Reise unschätzbar – sie belebt, berichtigt und belehrt.» Es waren denn auch die Dichter und Maler, aber auch die Handwerksburschen, die im 18. Jahrhundert mit als erste der jahrhundertelangen Kleinstaaterei in Deutschland zu entfliehen suchten und sich ohne Scheuklappen über die Grenzen ihrer engeren Heimat hinweg in die deutschen Nachbarländer vorwagten. Sie beherzigten bereits damals, was der Schweizer Dichter Gottfried Keller noch hundert Jahre später den eidgenössischen und deutschen Stubenhockern vorwerfen sollte: «Wer unter Heimatliebe nur die Zuhausehockerei versteht, wird der Heimat nie froh werden, und sie wird ihm leicht nur zu einem Sauerkrautfaß.»

Im 19. Jahrhundert weitete sich die Heimat engstirniger Kleinstaatler als Folge umwälzender politischer, industrieller und technischer Entwicklungen zur vielgestaltigen Heimatlandschaft eines «ganzen Deutschland» – geprägt von den unverwechselbaren Regionen zwischen den Alpen im Süden und den Meeren im Norden. Gleichsam den Wahlspruch für die Anfänge des Reisens im eigenen Lande prägte in jenen Jahren der deutsche Dichter Jean Paul, auch er einer der reiselustigen Geister wider die kleinstaaterische Enge: «Nur reisen ist Leben, wie umgekehrt das Leben reisen ist.» Das Reisen in Deutschland ist also erst etwas mehr als ein Jahrhundert alt. Und erst mit dieser Entwicklung bekam auch der Begriff Heimat andere Dimensionen – Dimensionen, die heute im wahrsten Sinne des Wortes wieder neu

Germany
A PICTORIAL JOURNEY

by Hans Dollinger

■ «Travel broadens the mind», as Goethe advised the «wise man» in *Wilhelm Meisters Lehrjahre*, and as he explained in a letter to Schiller, who was less keen on travelling: «For someone of my disposition a journey is of immense value – it invigorates, improves and informs.» It was the poets and the painters as well as the journeymen who were among the first to attempt to flee Germany's centuries-old particularism, to venture without blinkers across the borders of their more confining homeland into the neighbouring German states. They had already taken to heart the words with which the Swiss poet Gottfried Keller would reproach all forsworn stay-at-homes some one hundred years later: «Those who interpret love of country as simply staying at home will never be happy there, and they will soon be soured on it.»

As a result of revolutionary political, industrial and technical developments, the homeland of narrow-minded particularists expanded during the 19th century into the diversified homeland of a «whole Germany» – characterized by the distinctive countryside between the Alps in the south and the seas in the north. As a campaign slogan for the encouragement of travel in his own land, the German poet Jean Paul, who delighted in travel and was an opponent of provincial homebodies, declared: «Only travel is life as conversely life is travel.» Travel in Germany is thus only a little over one hundred years old. And it was not until this development that the concept of homeland took on other dimensions which today

Allemagne
INVITATION AU VOYAGE

par Hans Dollinger

■ Dans son œuvre *Les Années d'apprentissage de Wilhelm Meister*, Goethe rappelle à «l'homme sensé» toute la valeur de l'adage: «Les voyages forment la jeunesse», et écrit à son contemporain Schiller qui n'aimait guère voyager: «Pour des natures comme la mienne, le voyage n'a pas de prix – il vivifie l'esprit, permet de corriger ses vues et instruit». Cette aspiration à quitter l'univers étriqué de la province se manifesta dès le XVIIIᵉ siècle parmi les poètes et les peintres, mais aussi parmi les compagnons qui furent les premiers à jeter un coup d'œil curieux par-delà les frontières de leur pays natal. Ceux-ci avaient en effet compris ce qu'un siècle plus tard l'écrivain suisse Gottfried Keller reprochera à ses contemporains helvètes et allemands, jugés trop sédentaires: «Qui ne conçoit son amour du pays natal que comme l'entretien d'habitudes casanières, ne sera jamais à même de l'apprécier à sa juste valeur, et finira tôt ou tard par s'enfermer dans un quotidien amer.»

Au siècle dernier, de profonds bouleversements politiques, industriels et techniques induisirent un élargissement de la notion de pays natal, consécutif à l'apparition d'une nation allemande s'étendant désormais de la mer du Nord aux Alpes et regroupant des régions d'une grande diversité. Le poète Jean-Paul, également épris de voyages et hostile à l'esprit casanier, encouragea ses compatriotes à découvrir leur propre pays: «C'est le voyage qui est la véritable vie, comme inversement la vie est un voyage.» Il y a donc un peu plus d'un siècle que les Allemands commencèrent à voyager dans leur propre pays. Le concept de pays natal prit alors de nouvelles dimensions, réalité dont on peut, depuis la réunification

■ erfahren werden können. Reisen im wieder geeinten Deutschland, von der Nordsee zur Ostsee, nach Mecklenburg-Vorpommern und Rügen, von Niedersachsen über Sachsen-Anhalt nach Brandenburg und Berlin, vom Münsterland rheinaufwärts bis Mainz, nach Hessen und Thüringen und in die Freistaaten Sachsen und Bayern, in die Alpen, in den Schwarzwald und zum Bodensee – all dies geschieht in den Bildern dieses Buches. Eine Reise in jenem Deutschland, zu dem selbst ein Kurt Tucholsky Ja gesagt hat, Ja zu: »Dem Land, in dem wir geboren sind und dessen Sprache wir sprechen. Der Staat schere sich fort, wenn wir unsere *Heimat* lieben […] unerschütterlich, ohne Fahne, ohne Leierkasten, ohne Sentimentalität und ohne gezücktes Schwert.«

In der Vorrede zu seinem 1929 erschienenen Buch *Deutschland, Deutschland über alles* – mit dem Titel nach dem «törichten Vers eines großmäuligen Gedichts» – lesen wir nach, was Tucholsky zur Definition der Heimat Deutschland einfiel, ihm, dem Dichter, der 1933 ins Exil nach Schweden ging, wo er zwei Jahre später aus Verzweiflung über die anbrechende dunkelste Zeit Deutschlands den Freitod wählte: «Es besteht kein Grund, vor jedem Fleck Deutschlands in die Knie zu sinken und zu lügen: wie schön! Aber es ist da etwas allen Gegenden Gemeinsames – und für jeden von uns ist es anders. Dem einen geht das Herz auf in den Bergen, wo Feld und Wiese in die kleinen Straßen sehen, am Rand der Gebirgsseen, wo es nach Wasser und Holz und Felsen riecht, und wo man einsam sein kann; wenn da einer seine Heimat hat, dann hört er dort ihr Herz klopfen. Das ist in schlechten Büchern, in noch dümmeren Versen

■ can be discovered anew, in the truest sense of the word. Travel in reunited Germany, from the North Sea to the Baltic, to Mecklenburg-Western Pomerania and Rügen, from Lower Saxony via Saxony-Anhalt to Brandenburg and Berlin, from Münsterland up the Rhine towards Mainz, to Hesse and Thuringia and the Free States of Saxony and Bavaria, into the Alps, into the Black Forest and to Lake Constance – all this is illustrated in this book. A journey through that Germany to which even Kurt Tucholsky gave his approval in these words: «The country in which we are born, and whose language we speak. The state be hanged when we love our *homeland* […] unflinchingly, without banners, without accordions, without sentimentality, and with sheathed swords.»

In the preface to his book *Deutschland, Deutschland über alles*, published in 1929, the title of which is taken from the «idle verse of a braggart poem», the poet, who was expatriated in 1933 and who committed suicide in Sweden in 1935 in despair over Germany's encroaching darkest hour, defined his idea of the German homeland: «There is no reason to sink to one's knees for every little scrap of Germany and to lie: how lovely! However, there is something about all regions – different for each and every one of us. For one the heart is uplifted in the mountains, where fields and meadows look onto little roads, on the edge of mountain lakes, where there is the scent of water and wood and cliffs, and where one can

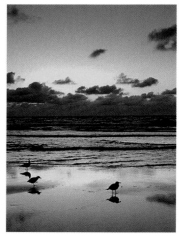

Sylt: Am Strand von Westerland.
Sylt: Westerland Sea-coast.
Île de Sylt: la plage de Westerland.

■ des deux Allemagne, faire pleinement l'expérience. Ce voyage à travers l'Allemagne réunifiée mène de la mer du Nord à la mer Baltique, vers les régions de Mecklembourg-Poméranie occidentale et de Rügen, vers le Brandebourg et Berlin en traversant la Basse-Saxe et la Saxe-Anhalt; depuis la région de Münster, il se prolonge jusqu'à Mayence en suivant le Rhin, traverse la Hesse et la Thuringe avant de gagner les états libres de Saxe et de Bavière puis les Alpes, la Forêt-Noire pour enfin venir s'achever sur les rives du lac de Constance. Il s'agit de découvrir l'Allemagne à laquelle même Kurt Tucholsky a d'abord dit oui, oui au «pays dans lequel nous sommes nés et dont nous parlons la langue. Que l'État déguerpisse! Nous aimons notre patrie […] inébranlablement, nous l'aimons sans drapeau, sans orgue de Barbarie, sans sentimentalité et sans épée dégainée.»

Dans la préface de son livre *Allemagne, Allemagne par-dessus tout*, Kurt Tucholsky avait exprimé ce que lui inspirait son pays natal qu'il aimait: « Il n'y a aucune raison de tomber à genoux devant chaque petit coin de pays et de s'écrier: que c'est beau! Toutes ces régions ont cependant quelque chose de commun, et pour chacun des nous c'est différent. L'un s'exaltera à la vue des paysages alpestres où champs et prés dévalent vers les petites routes parcourant les vallées, à la vue des lacs de montagnes où l'on respire l'odeur de l'eau, du bois et des rochers, et où l'on peut être seul; celui qui est de ce pays entendra battre là le cœur de la patrie. Objet de tant de mauvais livres, de poèmes plus stupides encore et de films, cet attachement au pays natal a été si dénaturé que l'on a presque honte de l'exprimer. Mais qui sait ce

Auf dem Gipfel der Zugspitze.
The Zugspitze Peak.
Au sommet de la Zugspitze.

und in Filmen schon so verfälscht, daß man sich beinah schämt, zu sagen: man liebe seine Heimat. Wer aber weiß, was die Musik der Berge ist, wer die Töne hören kann, wer den Rhythmus einer Landschaft spürt ...nein, wer gar nichts andres spürt, als daß er zu Hause ist; daß das da sein Land ist, sein Berg, sein See – auch wenn er nicht einen Fuß des Bodens besitzt ...es gibt ein Gefühl jenseits aller Politik, und aus diesem Gefühl heraus lieben wir dieses Land.»

In diesem Sinn brechen wir auf zu unserer Bilderreise, die natürlich unmöglich alle Schönheiten Deutschlands vorstellen kann. Die Auswahl ist subjektiv, vieles erfreut, manches fehlt. Vielleicht gelingt es aber, einige Besonderheiten der deutschen Landschaften anklingen zu lassen, das eine oder andere Kulturdenkmal wiederzuentdecken in diesem Land, das nach der knappen Definition eines alten Lexikons so zu verstehen ist: «Geschichtlich das geschlossene Sprach- und Siedlungsgebiet der Deutschen in Mitteleuropa innerhalb häufig wechselnder Staatsgrenzen.» Womit in fast stenograpischer Kürze das Charakteristische deutscher Geschichte auf einen Nenner gebracht ist. Der Hinweis auf «häufig wechselnde Staatsgrenzen» verdeutlicht auch etwas von dem Zwiespalt, der Deutschland nicht nur in unserem Jahrhundert entscheidend geprägt hat. «Die Rivalitäten verschiedener Staaten, Zollschranken und Grenzen auf deutschem Boden sind kein Sonderschicksal unserer Tage», resümierte der in Magdeburg geborene Schriftsteller Horst Krüger noch in den siebziger Jahren. «Sie sind beklagenswert, sie sind schmerzlich, aber wenn man ehrlich ist: Sie gehören leider zum eisernen Bestand unserer Geschichte.»

be alone; if someone feels his homeland is there, then that is where he hears its heart beat. This has been so falsified in bad books, in even worse poetry and movies, that one is almost ashamed to say: I love my homeland. But he who feels what the music of the mountains is, who can hear the tones, who can feel the rhythm of a landscape ... no, whoever feels nothing but that he is at home, that this is his land, his mountain, his lake – though he may possess not one inch of it ... that is a feeling beyond all politics, and because of this feeling we love this country.»

And thus we begin our pictorial journey, which naturally cannot represent all of Germany's beauty. The choice is subjective, much is pleasurable, some is missing. But perhaps it will be possible to bring to the reader's attention some of the special features of the landscape and cultural monuments in this country, which can be understood in the light of the definition found in an old encyclopedia: «The continuous linguistic and settlement area of the Germans in Central Europe bounded by frequently changing borders.» The reference to the «frequently changing borders» clarifies as well something of the internal division which has decisively characterized Germany: «The rivalries between states and the existence of custom barriers on German soil are nothing new», as Horst Krüger summed up in the 1970's. «They are regrettable, they are painful; but [...] they are unfortunately a ‹traditional› part of our history.»

Die Kasselburg bei Gerolstein.
Kasselburg Fortress at Gerolstein.
Le château de Kasselburg, à Gerolstein.

que signifie la musique des montagnes, qui peut en distinguer les sons, percevoir le rythme d' un paysage ... ou plutôt non ... qui ne ressent rien d' autre que l' impression d' être chez lui, que ce pays, cette montagne, ce lac sont véritablement siens, même s'il n' en possède pas un pouce ... (sait) qu' il existe un sentiment au-delà de toute considération politique, et que de ce sentiment même découle notre amour pour le pays.»

Cet ouvrage se propose de faire découvrir l'Allemagne et ne prétend pas présenter de manière exhaustive tout ce qui en fait la beauté. Le choix ne pouvait être que subjectif. On ne peut pas tout montrer en quelques pages mais l'important était de mettre en relief la diversité et l'originalité des paysages, de dévoiler certaines richesses du patrimoine culturel de l'Allemagne, dont un vieux dictionnaire donne une définition très concise: «Historiquement, la région linguistique et de colonisation allemande, située en Europe centrale, à l'intérieur de frontières d'État au tracé très changeant.» L'allusion aux «frontières d'État au tracé très changeant» permet de mieux comprendre le problème de scission interne qui a marqué non seulement l'histoire de l'Allemagne du XXᵉ siècle mais s'est traduit au fil des siècles par des «rivalités entre États et l'existence de barrières douanières et de frontières sur le sol allemand ne sont pas nouvelles. Elles sont pitoyables, douloureuses, mais, si l'on est sincère, il faut reconnaître qu' elles font malheureusement partie intégrante de notre histoire» comme le faisait remarquer dans les années soixante-dix l'écrivain Horst Krüger, natif de Magdebourg.

Die friedliche Revolution von 1989, die in Deutschland nach 40 Jahren das Ende der Teilung einleitete und die auch ganz Osteuropa erschütterte, formulierte strenggenommen keine neuen Forderungen, sondern wiederholte die der Märzrevolution des Jahres 1848: Freiheit, Demokratie, Einheit und nationale Selbstbestimmung. So betrachtet, fügt sich das, was seitdem in Berlin und in den Hauptstädten Osteuropas geschah, bruchlos in die deutsche und europäische Tradition. Die Erben dieser Neuordnung des «europäischen Hauses» werden eines Tages die Geschichtsbücher ihrer Väter umschreiben, und dabei werden sie die Begriffe Nation und Europa mit neuen Inhalten füllen. Erst dann kann auch für die politischen Ereignisse von 1989 und für die neue Einheit Deutschlands zutreffen, was Goethe im Jahr 1792 nach dem Sieg des französischen Revolutionsheeres über die vereinigten Armeen Preußens und Österreichs vorhersagte: «Von hier und jetzt geht eine neue Epoche der Weltgeschichte aus.»

Eine Reise durch das Deutschland von heute, durch das wiedervereinigte Deutschland, ist auch eine Reise durch zwei Jahrtausende deutscher Geschichte, wie sie sich in historischen Denkmälern, Domen und Kirchen, aber auch in Zeugnissen einer dynamischen Gegenwart eindrucksvoll offenbart. Von Nord nach Süd, von der Insel Sylt bis zum Watzmann-Massiv bei Berchtesgaden, entfalten die folgenden Bildseiten ein Kaleidoskop deutscher «Ansichten» und Impressionen, Landschaften und Stimmungen. Am Anfang steht eine nicht minder vielseitige Auslese literarischer Zitate, die zeigen, wie Schriftsteller und Dichter der letzten zwei Jahrhunderte Deutschland erlebten, erfühlten und beschrieben.

Das Rote Kliff auf Sylt.
The Rotes Kliff on Sylt.
La falaise Rouge surl'île de Sylt.

The peaceful revolution of 1989, which heralded the end of Germany's division after 40 years, and which spread to all of eastern Europe, had indeed no claims other than those of the 1848 March revolution: liberty, democracy, unity and national sovereignty. Viewed thus, the events in Berlin and in the eastern European capital cities conform to the German and European tradition. The beneficiaries of this new order of things within the «European house» will one day rewrite the history books of their forefathers, and they will give a new meaning to the concept of nation and Europe. Only then will Goethe's predictions of 1792, made following the victory of the French Revolutionary army over the armies of Prussia and Austria, apply to the events of 1989 and to the new German unity as well: «From this day and this place dates a new era in the history of the world.»

Travelling through the Germany of today, through reunited Germany, is a journey through two thousand years of German history as well, revealed in historical monuments, cathedrals and churches, as well as in testimonials of a dynamic present. From the north to the south, from the island of Sylt to Mount Watzmann near Berchtesgaden, the following photographs display a kaleidoscope of German vistas and impressions, landscapes and atmosphere. We begin with a not less varied selection of literary quotations which depict how authors and poets over the last two centuries experienced, felt and described Germany.

La révolution pacifique de 1989 mit un terme à la division de l'Allemagne et fut l'un des épicentres du séisme qui ébranla toute l'Europe de l'Est. Les revendications restent les mêmes que celles formulées lors de la révolution de mars 1848: liberté, démocratie, unité et autodétermination. Considérés sous cet angle, les événements survenus depuis 1989 à Berlin et dans les capitales des pays de l'Est s'inscrivent logiquement dans la tradition allemande et européenne. Les héritiers de cette nouvelle ordonnance de la «Maison Europe» réecriront sans doute un jour l'histoire de leurs pères et redéfiniront les concepts de nation et d'Europe. Alors seulement , il sera possible d'appliquer à la révolution de 1989 et à la réunification de l'Allemagne ces mots de Goethe qui déclara en 1792, après la victoire des troupes révolutionnaires françaises sur les armées austro-prussiennes: «D'aujourd'hui et de ce lieu date une ère nouvelle dans l'histoire du monde.»

Un voyage à travers l'Allemagne d'aujourd'hui, à travers l'Allemagne réunifiée, c'est tout d'abord un voyage à travers deux mille ans d'histoire allemande qu'illustrent de multiples monuments, de nombreuses églises et cathédrales, mais aussi les manifestations d'un présent dynamique. Au fil des pages se succèdent paysages, perspectives et ouvrages architecturaux d'où se dégagent une multitude d'impressions diverses, de sensations colorées glanées au cours d'un itinéraire menant du nord vers le sud du pays, de l'île de Sylt au massif du Watzmann, près de Berchtesgaden. Cette invitation au voyage donne aussi la parole à des poètes et des écrivains qui ont décrit l'Allemagne à des époques différentes.

Am Portal des Schweriner Schlosses.
The main portal of Castle Schwerin.
L'entrée du château de Schwerin.

Die Reise beginnt im nördlichsten Bundesland, im «meerumschlungenen» **Schleswig-Holstein** mit seiner Hauptstadt Kiel, den lebhaften Badeorten an Nord- und Ostsee, Deutschlands einzigem mondänen Seebad Sylt und den streng anmutenden alten Handelsstädten. Für Peter Wapnewski, den aus Kiel stammenden, zeitgenössischen Literaten, ist seine Heimat eine «Welt, aus Himmel gemacht. Vor allem Himmel, er nimmt neun Zehntel des sichtbaren Raums ein. Der Rest ist Erde und Meer. Es ist leicht einzusehen, daß ein Mensch inmitten solcher Zuordnung von Elementen und Farben ein anderer wird als zwischen Bergen, die Augen werden anders, die sehen immer in eine Weite; und die Bewegungen sind anders, die werden langsamer, weil sich ihnen etwas von der Zeitlosigkeit der Elemente mitteilt.»

Etwas von diesem Lebensgefühl spürt man auch bei Schleswig-Holsteins östlichen Nachbarn in Mecklenburg-Vorpommern – ist ihre bevorzugte Maxime doch ein bedächtiges: «Allen bliwwt bi'n Ollen» (Alles bleibt beim Alten). Das konstatierte schon der Mecklenburger Mundartdichter Fritz Reuter, einer der meistgelesenen deutschen Autoren des 19. Jahrhunderts, und schlug denn auch vor, diesen Grundsatz an den Anfang jeder mecklenburgischen Verfassung zu stellen.

Das neue Bundesland mit der Hauptstadt Schwerin ist das Land der Seen, Schlösser und Katen, der alten Hansestädte an der Ostseeküste und ihren vorgelagerten großen Inseln Rügen und Usedom. Hier entdeckte auch der Reiseschriftsteller Horst Krüger schon als junger Mann seine Liebe zur Ostsee, die für ihn, gemessen am Atlantik oder der Nordsee, eigentlich nichts anderes ist als «ein sehr großer See,

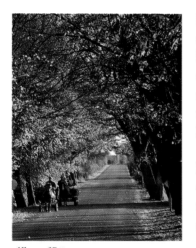

Allee auf Rügen.
Avenue on Rügen.
Une allée, sur l'île de Rügen.

Our journey begins in the northernmost state, in **Schleswig-Holstein**, «cradled by the sea», with its capital city, Kiel, the lively resorts along the North Sea and the Baltic sea coasts, Germany's only fashionable ocean bathing resort of Sylt, and the very charming old trading centres. For Peter Wapnewski, contemporary man of letters born in Kiel, his birthplace of Schleswig-Holstein is a «world, composed of sky. Sky above all, it covers nine tenths of the visible space. The rest is land and sea. It is easy to understand that one who lives amid this combination of elements and colours differs from one who lives in the mountains; the eye develops differently, for it is always gazing into the distance.»

Some part of this feeling can also be perceived amongst Schleswig-Holstein's eastern neighbours in Mecklenburg-Western Pomerania – their favourite maxim being a prudent «Allen bliwwt bi'n Ollen» or «plus ça change, plus c'est la même chose.» One of the most widely read 19th century German authors, the Mecklenburg poet Fritz Reuter, who wrote in dialect, substantiated this, and suggested placing this axiom at the beginning of every Mecklenburg constitution.

The new state with its capital city of Schwerin is a land of lakes, castles and cottages, the Hanseatic towns on the Baltic sea-coast, and their large offshore islands Rügen and Usedom. Here the travel author Horst Krüger discovered his passion for the Baltic Sea, which, compared to the Atlantic Ocean or the

Le **Schleswig-Holstein**, le plus septentrional de tous les Länder, constitue la première étape de ce voyage. La côte occidentale de cette région «embrassée par la mer» offre d'accueillants lieux de villégiature; elle est en outre bordée par les îles frisonnes, dont Sylt, l'une des stations balnéaires les plus mondaines d'Allemagne. Outre Kiel, la capitale, le Schleswig-Holstein comporte de vieilles cités marchandes qui affichent une beauté sévère. Peter Wapnewski, écrivain contemporain originaire de Kiel, dépeint son pays natal comme «un univers fait de ciel. Surtout de ciel, un ciel qui occupe la quasi totalité de l'espace visible. Le reste n'est que terre et mer. Il est facile de comprendre qu'un être placé dans un tel assemblage d'éléments et de couleurs soit différent d'un homme vivant parmi les montagnes, différent de par son regard dirigé toujours vers le lointain, de par ses mouvements qui se font plus lents parce qu'ils sont eux-mêmes légèrement imprégnés du caractère intemporel des éléments.»

Cette atmosphère est également perceptible dans le Land voisin de Mecklembourg-Poméranie occidentale dont la devise exprime parfaitement l'apparente immuabilité: «Rien ne change, ni ne changera». Constatant que cette formule caractérisait parfaitement les Mecklembourgeois, Fritz Reuter, écrivain régional (l'un des auteurs les plus populaires d'Allemagne au XIXe siècle) proposa de la faire figurer en tête des principes fondamentaux de toute nouvelle constitution du Land. Né de la réunification des deux Allemagne, ce tout jeune État, dont la capitale est Schwerin, est un pays de lacs, de châteaux et de petites maisons de pêcheurs. Il s'ouvre sur la Baltique, et sur son littoral s'alignent les vieilles cités hanséatiques, ein Binnenmeer, wie man sagt. Kaum sind hier Gezeiten zu erkennen. Nur selten bei Unwettern bäumen sich meterhohe Wellenkämme auf, gischten und brechen dann tosend in sich zusammen. Die Ostsee ist ruhig, zivilisiert. Wettergebräunte Seefahrer nennen sie gern etwas verächtlich eine große Badewanne. Mich stört das nicht. Mir ist das recht. Badewannen sind sehr entspannend. Es ist erholsam, hier am Strand zu liegen, am Wasser entlang zu laufen. Keine Ebbe, keine Flut lockt und bedroht.»

Deutschlands «Tor zur Welt» ist – nach der deutsch-deutschen Wiedervereinigung vielleicht wieder mehr denn je – **Hamburg**: Die Millionenstadt und Welthandelsmetropole mit dem Flair großbürgerlicher Eleganz und dem zurückhaltenden Charme ihrer Bewohner. Wie sehr sie ihre Stadt lieben, hat wohl niemand eindrücklicher formuliert als Wolfgang Borchert, einer der großen Dichter der deutschen Nachkriegsliteratur: «Hamburg! Das ist mehr als ein Haufen Steine, Dächer, Fenster, Tapeten, Betten, Straßen, Brücken und Laternen [...] mehr als Möwengelächter, Straßenbahnschrei und das Donnern der Eisenbahnen – das ist mehr als Schiffssirenen, kreischende Kräne, Flüche und Tanzmusik – oh, das ist unendlich viel mehr. Das ist unser Wille, zu sein. Nicht irgendwo und irgendwie zu sein, sondern hier und nur hier zwischen Alsterbach und Elbestrom zu sein – und nur zu sein, wie wir sind, wir in Hamburg. Das geben wir zu, ohne uns zu schämen: Daß uns die Seewinde und die Stromnebel betört und behext haben, zu bleiben – hierzubleiben [...] Daß uns der Alsterteich verführt hat, unsere Häuser reich und ringsherum zu bauen – und daß uns der Strom verführt hat, unsere Sehnsucht nach den Meeren

Blick auf das Hamburger Rathaus.
A view of Hamburg's Town Hall.
Vue de l'hôtel de ville de Hambourg.

North Sea, is really not much more than «a great lake, an inland sea. Here, the tides are hardly noticeable. High waves, thundering and hissing onto the beaches, occur only rarely, in stormy weather. The Baltic is tranquil, civilized. Veteran sailors like to call it the great bath-tub. That does not worry me at all. Bath-tubs are very relaxing. It is restful to lie here on the beach, to stroll along the water's edge. There is no ebb and flow for the tide to distract and threaten.»

Germany's «Gateway to the World» – perhaps more than ever since reunification – is **Hamburg**: the city of over a million people and a world trade metropolis with the flair of upper middle class elegance and the reticent charm of its inhabitants. The depth of their feeling for their city has probably never been better expressed than by Wolfgang Borchert, one of the great German post-war poets: «Hamburg! That's more than a heap of stones, roofs, windows, carpets, beds, streets, bridges and lamps. It's more than factory chimneys and the hooting of traffic – more than gulls' laughter, trams screaming and the thunder of the railways – it's more than ships' sirens, crashing cranes, curses and dance music – oh, it's infinitely more. It's our will to be. Not to be anywhere and anyhow, but to be here and only here between Alster stream and Elbe river – and only to be, as we are, we in Hamburg! We admit it without shame: that the sea wind and river mist have crazed and bewitched us to stay – to stay here [...] City: home, heaven,

face aux îles de Rügen et Usedom. Ce paysage côtier inspira dans ses jeunes années à l'écrivain Horst Krüger, auteur de nombreux récits de voyage, sa passion pour la mer Baltique qui, comparée à l'Atlantique ou à la mer du Nord, apparaît comme un «très grand lac, une mer intérieure. Les marées y sont à peine perceptibles. Ce n'est que rarement, par gros temps, que l'on voit de très grandes vagues se briser avec fracas sur le rivage. La mer Baltique est calme, civilisée. Les marins chevronnés la qualifient volontiers de grande baignoire. En ce qui me concerne, cela ne me dérange pas. Je trouve les baignoires très relaxantes. C'est reposant d'être allongé ici, sur la plage, ou de se promener le long de la mer. Pas de flux ni de reflux pour vous attirer et vous menacer.»

Plus que jamais sans doute **Hambourg** s'impose comme une porte ouverte sur le monde. Cette immense métropole, qui est aussi l'un des premiers ports européens, allie raffinement et élégance bourgeoise à la réserve courtoise de ses habitants. Wolfgang Borchert, l'un des grands noms de la littérature allemande d'après-guerre, a su mieux que quiconque faire l'éloge de sa ville natale: «Hambourg! C'est bien plus qu'un amas de pierres, de toits, de fenêtres, de papiers peints, de lits, de rues, de ponts et de réverbères. Bien plus que des cheminées d'usines et des klaxons de voitures, bien plus que le rire des mouettes, le cri strident des tramways ou le grondement sourd des trains, bien plus que des sirènes de bateaux, des grues qui grincent, des jurons et de la musique – oh, c'est infiniment plus. C'est toute notre volonté d'être. Pas d'être n'importe où et n'importe comment, mais d'être ici même, entre l'Alster et l'Elbe, et

Windmühle im Alten Land.
Windmill in the Altes Land.
Moulin à vent dans le Altes Land.

■ nachzusegeln [...], um wiederzukehren, wiederzukehren, krank und klein vor Heimweh nach unserm blauen Teich inmitten der grünhelmigen Türme und grauroten Dächer. [...] Stadt: Heimat, Himmel, Heimkehr – Geliebte zwischen Himmel und Hölle, zwischen Meer und Meer; Mutter zwischen Wiesen und Watt, zwischen Teich und Strom; Engel zwischen Wachen und Schlaf, zwischen Nebel und Wind.»

Vor den Toren Hamburgs, aber zum größten Teil bereits im benachbarten Bundesland Niedersachsen, liegt das Alte Land, Deutschlands nördlichstes Obstanbaugebiet. Jedes Jahr im Frühling verwandeln dort über vier Millionen Obstbäume die Flußmarschen an der Unterelbe in ein duftendes Blütenmeer. «Zur Zeit der Blüte», wie der Heimatdichter Hermann Allmers schon Mitte des 19. Jahrhunderts in seinem *Marschenbuch* schrieb, «wenn das ganze Land in einen weißen und rosigen Schleier gehüllt erscheint und ein tausendfältiges wohliges Leben darin summt und schwärmt und jubelt, bietet es einen Anblick dar, dessen eigentümliche Zaubersprache mit nichts vergleichbar ist.»

Ringsum von niedersächsischem Land umschlossen, bilden die beiden anderen großen Nordseehäfen, **Bremen** und Bremerhaven, zusammen das kleinste Bundesland. Am Rathaus im Herzen der alten Hansestadt lächelt der berühmteste Bremer, «Roland, der Ries'», seit nun bald 600 Jahren sein steinernes Lächeln, das selbst die Bremer nicht zu deuten wissen. Dort, wo Wilhelm Hauff zu Beginn des 19. Jahrhunderts seine weinpoetischen *Phantasien im Bremer Ratskeller* zu Papier brachte, verstand man sich von «uralter Zeit» her als Schlüssel «nicht allein zu Niedersachsen, sondern gar zum Reich».

■ homecoming – beloved between heaven and hell, between ocean and ocean: mother between meadow and mud, between river and lake: angel between waking and sleeping, between mist and wind.»

Just in front of Hamburg's gates, but for the most part in the neighbouring state of Lower Saxony, lies the Altes Land, Germany's northernmost fruit growing area. Every year in spring, over four million fruit trees transform the Lower Elbe fens into a fragrant sea of blossoms. The mid-19th century poet Hermann Allmers describes cherry blossom time in his *Marschenbuch* (The Marshland Book): «When the countryside appears to be covered with a white and rose-coloured veil within which a myriad of blissful life hums, swarms and rejoices, it presents a sight that cannot be surpassed in its particular magic.»

Surrounded by the state of Lower Saxony, the two other large North Sea harbours together form the smallest state in the republic: **Bremen** and Bremerhaven. For over 600 years, Bremen's most famous son, Roland the Giant, has been grinning down from the Town Hall in the heart of the Hanseatic town, the meaning of his grin escaping even the inhabitants of Bremen. Here where Wilhelm Hauff at the start of the 19th century wrote his oenopoetic verse, *Phantasien im Bremer Ratskeller* (Fantasies in Bremen's Town Hall Cellar), the townsfolk have since «time immemorial» considered themselves to be the key, «not only to Lower Saxony, but indeed to the entire realm».

Skulptur der Bremer Stadtmusikanten.
Statue of the Bremen Town Musicians.
Les Quatre musiciens de la ville de Brême.

■ nulle part ailleurs, d'être seulement ce que nous sommes, nous à Hambourg. Et nous n'avons pas honte de le dire: c'est le vent du large et les brumes du fleuve qui nous ont ensorcelés et conjurés de rester [...] Ville: pays natal, ciel, retour au pays – amante entre cieux et enfer, entre mer et mer; mère entre prés et rivages, entre étang et courant; ange entre veille et sommeil, entre brouillard et vent: Hambourg!»

Aux portes de Hambourg commence immédiatement le Vieux Pays (Altes Land), la région de cultures fruitières la plus septentrionale d'Allemagne. Chaque année, au printemps, quelque quatre millions d'arbres fruitiers métamorphosent les grasses prairies de l'Elbe inférieure en une mer de fleurs odorantes. Vers le milieu du XIXe siècle, le poète régional Hermann Allmers évoque dans son *Marschenbuch* (Le Livre des Marches) la floraison des cerisiers : «Lorsque le pays entier apparaît comme enveloppé d' un voile blanc et rose et que la vie s' y manifeste de mille façons différentes, à la fois bourdonnante, fourmillante, enivrante, parlant un singulier langage dont le charme magique échappe à toute comparaison. [...] Entre les vergers s'alignent au bord des chemins de jolies petites maisons...».

Situés sur l'estuaire de la Weser, au cœur de la Basse-Saxe, les deux autres grands ports de la mer du Nord, **Brême** et Bremerhaven, forment le plus petit État fédéré d'Allemagne. Devant l'hôtel de ville de Brême, en plein cœur de la vieille ville hanséatique, se dresse l'immense statue du célèbre Roland, symbole des libertés de la ville, qui sourit énigmatiquement depuis bientôt six cents ans. Non loin de là, la sculpture des Quatre Musiciens de la ville de Brême, évoque le conte très populaire des frères Grimm.

Niedersachsen, das grüne Land zwischen Bergen und Meer, ist das Bundesland mit den stärksten landschaftlichen Kontrasten: Von den Sanddünen der Ostfriesischen Inseln über die Lüneburger Heide bis zum Harz, dessen idyllische Wald- und Bergeinsamkeit nicht nur die Dichter der deutschen Romantik zu schwärmerischen Schilderungen inspirierte. Niedersachsens Hauptstadt Hannover liegt mitten in der weiten Ebene des norddeutschen Tieflands, das zu Zeiten – an nebeligen Tagen oder zur Dämmerstunde – eine beinahe geheimnisvolle Atmosphäre ausstrahlt. So empfand es auch Madame de Staël, die Tochter von Jacques Necker, seines Zeichens Finanzminister Ludwigs XVI., als sie Anfang des 19. Jahrhunderts Deutschland bereiste: «Die öden Fluren, die von Rauch geschwärzten Häuser, die gotischen Kirchen scheinen für Hexen- und Gespenstergeschichten gemacht zu sein.»

Kein Gespenst zwar, aber doch ein «böser Geist» soll der sagenumwobene Rattenfänger von Hameln gewesen sein: Aus Rache dafür, daß man ihm den vereinbarten Lohn für seine Dienste verweigerte, verzauberte er, als Spielmann verkleidet, 130 Kinder mit seinen Flötenmelodien und lockte sie auf Nimmerwiedersehen aus der Stadt an der Weser in die Tiefen des nahegelegenen Kopfelbergs.

Die Hexen aber zog es weiter in den Süden des Landes, sie trafen sich zum Hexensabbat im Harz, auf dem mythischen «Blocksberg». Der mit 1142 Metern höchste Berg im Harz, der Brocken, erhebt sich heute allerdings bereits jenseits der Grenze, im östlichen Nachbarland Sachsen-Anhalt. Einer der ersten, der seine Naturerlebnisse im Harz in bewegende Verse faßte, war Johann Wolfgang von Goethe. Bereits

Sandstrand an der Nordsee.
Sandy beach at the North Sea .
Plage de la mer du Nord.

Lower Saxony, the green region between the mountains and the sea, is the state with the strongest contrasting landscapes: from the sand dunes of the East Frisian Islands through the Lüneburg Heath to the Harz, whose sylvan highland solitude inspired the German Romantic poets and others to enthusiastic descriptions. Lower Saxony's capital of Hanover lies in the centre of the broad north German lowland plains, which at times – on foggy days or at the twilight hour – radiate an almost mysterious atmosphere. Madame de Staël, daughter of Jacques Necker, finance minister to Louis XVl, perceived this when she travelled through Germany at the start of the 19th century: «The barren fields, the smoke-blackened houses, the Gothic churches seemed to be made for witches and ghost stories.»

The Pied Piper of Hameln was not a ghost, they say, but an «evil spirit». In revenge for not having received the agreed upon fee for ridding the city of rats, he bewitched 130 children with his flute melodies, enticing them, never to be seen again, from the city on the Weser to the near Kopfelberg.

The witches met for the Witches' Sabbath on the «Blocksberg». The highest mountain in the Harz chain, at 3,700 feet, the Brocken rises on the other side of the border, in the area of the eastern neighbouring state of Saxony-Anhalt. One of the first to write in moving verse his nature experiences in the Harz Mountains was Johann Wolfgang von Goethe. He climbed the mountain during his first journey

Verte contrée s'étirant entre la mer du Nord et les massifs hercyniens au sud, la **Basse-Saxe** est le Land présentant les contrastes géographiques les plus marqués: îles sableuses de la Frise orientale, lande de Lunebourg, haut plateau du Harz aux pentes couvertes de forêts dont la beauté sauvage inspira certaines des plus belles pages lyriques de la littérature romantique. La capitale de la Basse-Saxe, Hanovre, est située au cœur de la grande plaine du Nord; par temps de brouillard ou à l'heure crépusculaire, il s'en dégage une atmosphère presque mystérieuse qui impressionna vivement Madame de Staël lors de son voyage en Allemagne, au début du siècle dernier: «Les campagnes désertes, les maisons noircies par la fumée, les églises gothiques semblent préparées pour les contes de sorcières ou de revenants.»

Certes, ce n'est pas un revenant mais un «mauvais esprit» qui a rendu célèbre la ville de Hameln, située sur la rive droite de la Weser, au sud-ouest de Hanovre. Étrange personnage que ce «preneur de rats» qui promit, contre monnaie sonnante et trébuchante, de débarrasser la ville de tous ses indésirables rongeurs. Envoûtés par le son de son fifre, ceux-ci le suivirent jusqu'à la Weser où ils se noyèrent. Se voyant refuser la récompense promise, le singulier ménestrel, usant du même stratagème, entraîna quelque 130 enfants vers la montagne voisine de Kopfelberg où ils disparurent à jamais. Point culminant du massif du Harz, le Brocken (le mythique Blocksberg), 1 142 mètres, s'élève au-delà de la limite orientale de la Basse-Saxe, dans le Land de Saxe-Anhalt. Lors de son premier voyage dans le massif du Harz, en 1777, Goethe fit l'ascension de la fameuse montagne qui, dans l'intermède de son *Faust*, la «première nuit de

Wildbach im Harz.
Torrent in the Harz.
Torrent dans le massif du Harz.

auf seiner ersten Harzreise im Jahr 1777 erstieg er den Berg, der in der «ersten Walpurgisnacht» des *Faust* zum schauerlich-düsteren Schauplatz der «Hexen- und Teufelsfahrt des Brockengebirgs» wurde. Fast 50 Jahre später beschrieb Heinrich Heine seine seltsamen Erlebnisse auf dem Weg zum Gipfel: «In der Tat, wenn man die obere Hälfte des Brockens besteigt, kann man sich nicht erwehren, an die ergötzlichen Blocksberggeschichten zu denken, und besonders an die große, mystische, deutsche Nationaltragödie vom Doktor Faust. Mir war immer, als ob der Pferdefuß neben mir hinauf klettere, und jemand humoristisch Atem schöpfe. Und ich glaube, auch Mephisto muß mit Mühe Atem holen, wenn er seinen Lieblingsberg ersteigt; es ist ein äußerst erschöpfender Weg, und ich war froh, als ich endlich das lang ersehnte Brockenhaus zu Gesicht bekam.»

Das Bundesland **Sachsen-Anhalt** bildet zwar seit jeher eine kulturgeschichtliche Einheit, als politisches Gebilde existiert es jedoch erst seit der Nachkriegszeit – und auch das nur mit einer langen Unterbrechung. Abgesehen vom Harz sind es hier vor allem die alten und traditionsreichen Handels- und Domstädte, die einen klangvollen Namen haben: die Landeshauptstadt Magdeburg, Halle, Dessau, Merseburg, Naumburg oder die Lutherstadt Wittenberg an der Grenze zur Mark Brandenburg.

Das neue Bundesland **Brandenburg** war das Kerngebiet des alten Staates Preußen, der endgültig erst am 25. Februar 1947 vom Alliierten Kontrollrat aufgelöst wurde. Landeshauptstadt ist Potsdam mit Schloß Sanssouci, der Sommerresidenz Friedrichs des Großen (1712–1786), und Schloß Cecilienhof,

In Wernigerode.
In Wernigerode.
À Wernigerode.

through the Harz in 1777, using this venue in the «first Walpurgis night» in *Faust* as the spine-chilling, sombre setting for the «witches' and devil's journey in the Brocken Mountain Range». Almost 50 years later, Heinrich Heine was to describe his strange experiences on his way to the summit: «In fact, if one climbs the upper half of the Brocken, one cannot help thinking of the delightful stories about the Blocksberg and especially of the great mystic German national tragedy of Dr. Faust. I felt the entire time as if the cloven foot were climbing up beside me and as if someone were panting facetiously. And I believe that even Mephisto must gasp for breath when he climbs his favourite mountain; it is a most exhausting path, and I was glad when I at last caught sight of the long-yearned-for Brocken House.»

Saxony-Anhalt has always formed a homogeneous historic-cultural whole, but it has existed as a political structure only since the post-war period – and even this only after a long interruption. Apart from the Harz Mountains, it consists for the most part of old trading and cathedral towns: the state capital of Magdeburg, Halle, Dessau, Merseburg, Naumburg and Wittenberg on the border with Brandenburg.

The new state of **Brandenburg** was the heart of the old state of Prussia, which was definitively dissolved by the Allied Control Council on February 25, 1947. The state capital is Potsdam, with Sans Souci, Frederick II's (1712–1786) summer residence, and Cecilenhof Castle, the scene of Germany's division

Walpurgis», servira de décor à la ronde endiablée des sorciers et des sorcières. Presque un demi-siècle plus tard, Heinrich Heine relata les étranges sensations qu'il éprouva pendant l'ascension du Blocksberg: «Vraiment, lorsqu'on arrive à la partie supérieure du Brocken, on ne peut se défendre de songer à ces divines histoires du Blocksberg, et surtout à la grande et mystique tragédie nationale du docteur Faust! Il me semblait à chaque instant que j'entendais le fameux pied de bouc grimper près de moi et que j'entendais ricaner lorsque je reprenais haleine. Je crois que Méphistophélès est obligé de reprendre haleine aussi, lorsqu'il gravit sa montagne favorite; c'est une route affreusement fatigante, et ce fut avec une soudaine satisfaction que j'aperçus enfin la maison du Brocken que j'attendais depuis longtemps.»

Si la région de **Saxe-Anhalt** forme traditionnellement une unité historique et culturelle, elle n'a acquis son identité administrative et politique qu'après la guerre – et seulement au terme d'une longue interruption. Depuis 1990, elle constitue un état fédéré. Outre la ville épiscopale de Magdebourg, la Saxe-Anhalt possède de vieilles cités commerçantes, jadis sièges épiscopaux ou résidences ducales, telles que Halle, Dessau, Merseburg, Naumburg mais aussi Wittenberg – située à la frontière de l'ancienne marche de Brandebourg – qui fut jadis l'un des centres de la Réforme engagée par Luther.

Cet État fédéré nouvellement constitué fut le noyau de l'ancienne Prusse, symboliquement dissoute le 25 février 1947 par les Alliés. La capitale du **Brandebourg**, Potsdam, s'enorgueillit du château de Cecilienhof où se déroula en 1945 la conférence de Potsdam qui décida de la division de l'Allemagne en

■ wo 1945 die Teilung Deutschlands besiegelt wurde. «Sans souci» – sorglos also – lebte Friedrich jedoch nur als Kronprinz in seinem Schloß in Rheinsberg, umgeben von Künstlern und Gelehrten. Rund um das 5000-Seelen-Städtchen, das durch Kurt Tucholskys bezaubernde gleichnamige Liebesgeschichte unsterblich wurde, erstreckt sich die Ruppiner Schweiz: Kiefernwälder auf sandigen Böden, sanfte Hügel und stille Seen. Sie ist auch die Heimat Theodor Fontanes, dessen *Wanderungen durch die Mark Brandenburg* die «Landschaft um Berlin herum» aus dem Schatten der Metropole treten ließen und ihr ein einzigartiges literarisches Denkmal setzten. Für Fontane war es «mit der märkischen Natur wie mit manchen Frauen. Auch die häßlichste hat immer noch sieben Schönheiten.»

Berlin, Deutschlands neue, alte Hauptstadt, ist eine Stadt mit Widersprüchen – und das nicht erst seit heute. Schon Germaine de Staël schildert es in ihrem 1813 Buch *De l'Allemagne* einerseits als «große Stadt, mit breiten geraden Straßen, schönen Häusern, und von regelmäßiger Bauart [...], den Brennpunkt der Aufklärung und des Lichts». Andererseits meinte sie: «Berlin, diese ganz moderne Stadt, so schön sie immer sein mag, bringt keine feierliche, ernste Wirkung hervor.» Für viele macht aber gerade diese Vielschichtigkeit den Reiz Berlins aus, sein Facettenreichtum, der sich je nach dem Blickpunkt des Betrachters zu einem anderen Bild formiert. So gab es für Bertolt Brecht, der von 1949 bis zu seinem Tod 1956 im Ostteil der Stadt gelebt hat, «einen Grund, warum man Berlin anderen Städten vorziehen kann: weil es sich ständig verändert» – und sich dabei doch selbst treu bleibt, wie Horst Krüger meint:

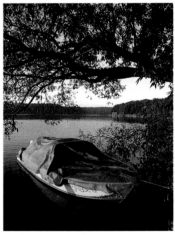

■ in the year 1945. «Sans souci» – carefree – was the way Frederick lived as the crown prince in his castle in Rheinsberg, surrounded by artists and scholars. Around the town of some 5,000 souls, immortalized in Kurt Tucholsky's enchanting love story of the same name, stretches the Ruppin Switzerland: pine forests on sandy ground, gentle hills and peaceful lakes. This is also the birthplace of Theodor Fontane, whose *Wanderungen durch die Mark Brandenburg* (Rambles through Mark Brandenburg) elevated the «region around Berlin» from the metropolis's shadow, raising a unique literary monument to it. For Fontane, «The Mark nature is like that of some women. Even the most hideous has seven beauties.»

Germany's both new and old capital of **Berlin** is a city of contradictions – today as in times past. Germaine de Staël described Berlin in her book *De l'Allemagne*, published in 1813 in London, as, on the one hand, «a big city, with very broad streets that are perfectly straight, beautiful houses and a general appearance of orderliness.[...], the focal point of enlightenment and clarity.» On the other hand, in her opinion, «Berlin, this entirely modern city, however beautiful it may be, does not make a serious enough impression.» For many, however, it is just this multitude of strata which constitutes Berlin's charm, its many facets which form another image, according to the beholder's point of view. Thus, for Bertolt Brecht, who lived in the eastern part of the city from 1949 until his death in 1956: «Berlin is preferable

In der Ruppiner Schweiz.
Ruppin Switzerland.
En Suisse ruppine.

■ deux États, et du château de Sans-Souci, résidence d'été des Électeurs de Brandebourg, lieu de séjour favori de Frédéric II et où Voltaire fut souvent l'invité d'honneur. Avant de succéder à son père le futur Frédéric II avait passé quelques années insouciantes dans le château de Rheinsberg, entouré de «beaux esprits». Rheinsberg, petite bourgade de 5 000 âmes, se niche au cœur de la Suisse ruppine, région vallonnée, couverte de vastes forêts de pins et constellée de lacs, pays natal de Fontane. Dans son œuvre *Pérégrinations à travers la marche de Brandebourg*, le célèbre écrivain fait l'éloge de la «région autour de Berlin» qui, demeurant dans l'ombre de la rayonnante métropole, ne put jamais jouir d'une renommée à la mesure de son charme. Pour Theodor Fontane, il en est «de la nature brandebourgeoise comme de certaines femmes. Même la plus laide possède encore sept beautés.»

Berlin, à la fois ancienne et nouvelle capitale de l'Allemagne, apparaît aujourd'hui encore comme la ville des paradoxes qui avait tant frappé Madame de Staël. Dans son livre *De l'Allemagne*, paru à Londres en 1813, elle décrit Berlin comme «une grande ville dont les rues sont très larges, parfaitement bien alignées, les maisons belles et l'ensemble régulier [...] Cette ville, étant au centre du nord de l'Allemagne, peut être considérée comme le foyer de ses lumières.» Elle s'empresse néanmoins d'ajouter: «Berlin, cette ville toute moderne, quelque belle qu'elle soit, ne fait point une impression assez sérieuse.» Selon Bertolt Brecht, qui vécut à Berlin-Est de 1949 jusqu'à sa mort en 1956, il existe «une raison pour laquelle il est possible de préférer Berlin à d'autres villes: parce qu'elle change constamment.» Et cependant,

Das Brandenburger Tor in Berlin.
The Brandenburg Gate in Berlin.
La porte de Brandebourg, à Berlin.

◼ «Für mich ist es immer noch Deutschland, sein Schmelztiegel, seine geistige Mitte, sein altes, märkisches Herz. […] Ach, Preußens Geschichte: so viele Ansätze, Aufschwünge, Niederlagen und Siege. Und was davon, verkorkst, so hängenblieb zwischen all den Kadettenanstalten und Bürgerhäusern. Aufklärung und französischer Geist, Urbanität und eiserner Drill, Liberalität und Muffigkeit. Hier liegt alles hübsch zusammen, was einmal Deutschland war und das zweite Reich formte. Es ist vergangen. Preußen ist Geschichte, und doch: Vieles ist gegenwärtig.»

Das gilt auch für die Nachkriegsgeschichte der Stadt. Die Mauer, die Berlin 28 Jahre lang in zwei voneinander getrennte Welten teilte, ist gefallen. Aktueller denn je aber sind die Worte, die der frühere deutsche Bundeskanzler Willy Brandt nach der Öffnung der Mauer am 10. November 1989 vor dem Schöneberger Rathaus über die Zukunft Deutschlands und seiner Hauptstadt sprach: «Nichts wird wieder so, wie es einmal war. Dazu gehört, daß auch wir im Westen nicht an mehr oder weniger schönen Parolen von gestern gemessen werden, sondern an dem, was wir heute und morgen zu tun, zu leisten bereit und in der Lage sind, geistig und materiell.»

Von Berlin aus wenden wir uns wieder in den Westen Deutschlands, nach **Nordrhein-Westfalen**, ins Land großer Ebenen, zahlreicher Seen und grüner Mittelgebirgslandschaften wie dem Teutoburger Wald, dem Sauerland oder auch dem Rothaargebirge. Im Norden des Bundeslandes liegt das Münsterland mit seinen über hundert Wasserschlössern, Burgen und Herrensitzen. Die älteste, Burg Vischering

◼ to other cities since it is constantly changing» – and yet remaining true to itself, as Horst Krüger said: «For me Berlin is still Germany, its melting-pot, its intellectual centre, its old, traditional heart. […] Oh, Prussia's history: so many beginnings, periods of prosperity, defeats and victories. An accumulation of so many things: the training meted out in the officers' schools and bourgeois homes, enlightenment and the French spirit, urbanity and strict drill, liberality and fustiness. Here are all those things that once represented Germany and that made the Second Empire. It is past now. Prussia belongs to history, and yet much of it still reaches into the present.»

This is also true of the city's post-war history. The wall, which for 28 years divided Berlin into two worlds, has fallen. More topical than ever, however, are the words spoken by Willy Brandt, after the wall was opened on November 10, 1989: «Nothing will be the same as it was, including the fact that we in the West will not be judged by the more or less nice words of yesterday, but rather by that which we are prepared to do, what we can accomplish today and tomorrow, both materially and spiritually.»

From Berlin we turn again to the west, to **North Rhine-Westphalia**, to the land of wide plains, countless lakes and green highlands such as the Teutoburger Wald, the Sauerland and the Rothaar Mountain Range. In the north of the state lies the Münsterland with its over one hundred moated castles,

Die Gedächtniskirche in Berlin.
The Memorial Church in Berlin.
Kaiser-Wilhelm-Gedächtniskirche.

◼ elle sait demeurer fidèle à elle-même, comme le constate Horst Krüger: «Pour moi, c'est toujours l'Allemagne, son creuset, son centre spirituel, son vieux cœur, celui de la Marche […] Ah, l'histoire de la Prusse: tant de départs, d'élans, d'échecs et de victoires. Une accumulation de tant de choses: l'instruction dispensée dans les écoles de cadets et les maisons bourgeoises. Le rationalisme et l'esprit français, l'urbanité et un entraînement de fer, la générosité et la maussaderie. Ici se trouve rassemblé tout ce qui a représenté autrefois l'Allemagne et a formé le deuxième Empire. C'est du passé à présent. La Prusse appartient à l'histoire et pourtant tant de choses sont encore présentes.»

Le mur qui pendant vingt-huit ans scinda Berlin en deux, en «deux solitudes» aurait ajouté Rilke, est définitivement tombé. Quant au discours prononcé par Willy Brandt le 10 novembre 1989, après l'ouverture du mur, il reste actuel: «Rien ne sera jamais plus comme avant. Et cela signifie aussi qu'à l'Ouest nous ne serons pas jugés selon les discours plus ou moins prometteurs que nous aurons tenus par le passé, mais bien plutôt sur ce qu'aujourd'hui et demain, nous sommes en mesure d'entreprendre et de réaliser, aussi bien matériellement que spirituellement.»

Dirigeons-nous à présent vers l'ouest, vers le Land de **Rhénanie du Nord-Westphalie**, pays de grandes plaines émaillées de nombreux lacs, qui se prolonge au nord-est par le Sauerland et aligne à l'est les hauteurs boisées de la Teutoburger Wald et les collines du Rothaargebirge. Au nord de cette région se situe le pays de Münster où sont disséminés plus de cent châteaux à douves, manoirs et gentilhommières. La bei Lüdinghausen, trutzig im Wasser stehend wie ein steingewordenes Charakterbild des Münsterlandes, befindet sich seit dem Jahr 1271 ununterbrochen im Besitz der Familie Droste zu Vischering. Heutzutage ein ungewöhnliches Phänomen, das vielleicht nur noch in einem «stillen Erdenwinkel» möglich ist. So nämlich nannte Annette von Droste-Hülshoff, die berühmte Münsterländer Dichterin des 19. Jahrhunderts, ihre Heimat, die sie weiter beschreibt als eine «Gegend, die so anmutig ist, wie der gänzliche Mangel an Gebirgen, Felsen und belebten Strömen dieses nur immer gestattet [...]; vielmehr mögen wenige Landschaften so voll Grün Nachtigallenschlag und Blumenflor angetroffen werden». «Vater Rhein», der deutsche Strom schlechthin, führt uns durch das Bundesland mit der größten Bevölkerungsdichte, vor allem im Ballungsraum Rhein-Ruhr. «Die ganze große Stadt, die alle Städte des Ruhrgebiets zusammen bilden,» ist, wie der sozialkritische Schriftsteller Joseph Roth das Ruhrgebiet vor dem Zweiten Weltkrieg sah, «eine unheimliche Stadt [...] durch Schienen, Drähte, Interessen verbunden und vom Rauch umwölbt, abgeschlossen von dem übrigen Land». Seitdem hat sich jedoch vieles geändert, und der als Kohle- und Industriegebiet vielgeschmähte «Ruhrpott» hat nicht nur bessere Umwelt- und Lebensbedingungen vorzuweisen, sondern gilt als eine der Kulturregionen Deutschlands.

Der «Vorgarten» des Ruhrgebiets ist das Sauerland, das «Land der tausend Berge». Der Dortmunder Dichter Max von der Grün, von 1951 bis 1964 selbst als Bergmann tätig, weiß um den Wert des Sauerlands: «Wenn die Menschen im Ruhrgebiet das Sauerland nicht hätten, nicht so sehr als Feriendomizil,

Das Wasserschloß Nordkirchen.
The moated castle of Nordkirchen.
Le château à douves de Nordkirchen.

strongholds and manor houses. The oldest of these, Burg Vischering near Lüdinghausen, standing proudly in the water like a fossilized character study of the Münsterland, has been in the hands of the Droste zu Vischering family, without interruption, since 1271. An unusual phenomenon today, which perhaps would be possible only in a «quiet corner of the earth.» This is what the famous 19th century Münsterland poet Annette von Droste-Hülshoff called her homeland, which she also describes as «a region that is as charming as only the complete lack of mountains, rocks and rushing waters can permit».

«Father Rhine», the epitome of German Rivers, leads us through the state with the largest population density, especially in the Rhine-Ruhr region. «The very big city which encompasses all the towns of the Ruhr district», is, as sociocritic writer Joseph Roth saw it before the Second World War, «an incredible city joined by rails, wires and interests, veiled in smoke and cut off from the rest of the country.» Much has changed since then, however, and the coal and industrial area not only shows improved environmental and living conditions, but also is reckoned as one of Germany's most interesting cultural regions.

Its «front garden», the weekend destination of the inhabitants of the Ruhr area, is the Sauerland, the «land of a thousand mountains.» The Dortmund workers' author, Max von der Grün, who himself worked as a miner from 1951 to 1964, tells just what the Sauerland means to him: «If the people of the

plus ancienne de ces nobles demeures est le château de Vischering, près de Lüdinghausen; sa silhouette trapue qui se mire dans l'eau semble le reflet pétrifié de la physionomie de ce pays de Münster. Propriété de la famille Droste zu Vischering depuis 1271, il est le symbole d'une continuité qui peut surprendre aujourd'hui et que peut-être seul un «petit coin de terre tranquille» peut garantir, comme aimait à décrire son pays natal la poétesse Annette von Droste-Hülshoff. Elle en parle encore comme d'une «région qui est belle, autant que peut l'être un paysage entièrement dépourvu de montagnes, de rochers et de flots tumultueux… Cette contrée, paisible au plus haut degré, n'a rien d'un aride désert; au contraire, rares sont les régions aussi verdoyantes, aussi fleuries et où retentit aussi souvent le chant du rossignol.»

Le Rhin, le fleuve allemand par excellence, traverse la Rhénanie du Nord-Westphalie, le Land qui présente la densité de population la plus élevée du pays; dans le bassin de la Ruhr, la concentration humaine est même l'une des plus fortes du monde. Avant la Seconde Guerre mondiale, l'écrivain Joseph Roth écrivait à propos de la Ruhr: «L'immense cité formée par l'ensemble des villes de la Ruhr est une métropole à la fois étrange et inquiétante… qui s'articule autour d'un réseau de rails, de câbles, une trame d'intérêts communs, et qui est enveloppée d'un nuage de fumée et coupée du reste du monde.» Cependant, beaucoup de changements sont intervenus en l'espace de cinquante ans, dans cette région industrielle et minière. Ainsi des efforts ont-ils été réalisés pour améliorer la qualité de la vie et protéger l'environnement; en outre, la Ruhr est une région d'Allemagne dont la vie culturelle est très dynamique.

Teutoburger Wald: Hermannsdenkmal.
The Hermann Memorial.
Le monument d'Arminius.

einfach so, als Ausflugsort an Wochenenden, was wäre dann? Ohne ins Schwärmen zu geraten: Die Natur erinnert mich, daß vieles, das zu tun wir gezwungen sind, nebensächlich wird angesichts dieser Harmonie, die im letzten Moment auch der Mensch nicht zerstörte, weil ihm wohl instinktiv klar geworden ist, daß er sich dann selbst zerstören würde. Ja, es gibt noch schöne Ecken in Deutschland, vielleicht unberührtere als das Sauerland, aber keine wird von so vielen Menschen so bitter benötigt.»

Nordrhein-Westfalens Hauptstadt ist das weltstädtische Düsseldorf, seine größte Stadt aber ist Köln. Mit der Rhein-Metropole «assoziiert der Nichtkölner», nach Meinung von Heinrich Böll, dem großen Sohn der Stadt, «bei kölnisch irgend etwas, das sich – in verschiedenen Mischungsgraden – aus dunkel, fromm, bürgerlich, Dom, Karneval, Rhein, Wein, Mädchen zusammensetzt. Für die Bewohner der Umgebung, die an Samstagen und Sonntagen in die Stadt strömen, hat Köln sehr unterschiedliche, sehr gegensätzliche Anziehung. Köln ist immer noch Pilgerstadt, die Pilgerziele sind für manchen verschwiegener, oft nur scheinbar gegensätzlicher Natur. Wer wird das Gleisdreieck konstruieren, an dem Frömmigkeit, Vernunft, Natur ohne jegliche Kollision auseinanderrangiert werden können?»

«Die Landschaften längs dem Rhein» sind, mit den Augen von Madame de Staël gesehen, «beinahe alle herrlich.» Der Rhein selbst erschien ihr als «Deutschlands Schutzgeist», denn «seine Gewässer sind rein, schnell, majestätisch, wie das Leben eines Helden im Altertum». Im Gegensatz zu anderen deutschen Flüssen, die sich teilen und «leicht trüben», sah die französische Dichterin den Rhein als

Blick über den Rhein auf Köln.
View of Cologne and the Rhine.
Vue sur le Rhin et la ville de Cologne.

Ruhr district did not have the Sauerland, not so much for holidays but just as a place to go on the weekend, what would happen? Without going into raptures, nature reminds me that many of the things we are compelled to do become unimportant in view of this harmony, which at the last minute even man has not destroyed, since it has become instinctively clear that in doing so he would destroy himself. Yes, there are still beautiful corners in Germany perhaps more untouched than the Sauerland, but none is so desperately needed by so many people.»

The capital of North Rhine-Westphalia is Düsseldorf, but its largest city is Cologne. For Heinrich Böll, the city's illustrious son, «those who do not live in Cologne associate» the Rhine metropolis with «a mixture – in differing degrees – of dark, pious, bourgeois, cathedral, carnival, Rhine, wine, girls. For the inhabitants of the surrounding area, who stream to the city on Saturdays and Sundays, Cologne has very varied, very opposing attractions. Cologne is still a pilgrimage city, and the pilgrimage destinations are for some very discreet, often only seemingly of opposed nature.»

«The countryside along the Rhine» appeared to Madame de Staël «almost all magnificent.» The Rhine itself appeared to her to be «Germany's Guardian Spirit,» for «its waters are pure, swift, majestic, like the life of a hero in olden days.» In contrast to other German rivers, Madame de Staël saw the Rhine as

Le «jardin» de la Ruhr est le Sauerland, baptisé «pays des mille montagnes». L'écrivain Max von der Grün, originaire de Dortmund, lui-même mineur de fond dans la Ruhr de 1951 à 1964, est conscient de l'importance que revêt cette région du Sauerland pour ses compatriotes: «Si les gens de la Ruhr n'avaient pas le Sauerland à leur porte, pas tant pour y passer les vacances que pour s'y rendre pendant le weekend, que deviendraient-ils? Certes, il existe encore de jolis coins en Allemagne, peut-être plus intacts que le Sauerland, cependant nulle autre région joue un rôle aussi vital pour une telle multitude de gens.»

La ville la plus importante de Rhénanie du Nord-Westphalie n'est pas Düsseldorf, sa capitale, mais Cologne. Sa situation privilégiée au bord du Rhin lui valut de devenir dès le Moyen Âge un grand centre commercial. Baptisée la «Rome du Nord», elle devint au cours des siècles qui suivirent l'un des fleurons de la vie intellectuelle, religieuse et artistique. Aujourd'hui, ses foires commerciales et son carnaval sont réputés dans le monde entier, et ses nombreux musées témoignent d'un rayonnement culturel intense.

Aux yeux de Madame de Staël, «les paysages dont le Rhin est entouré sont superbes presque partout; on dirait que ce fleuve est le génie tutélaire de l'Allemagne; ses flots sont purs, rapides et majestueux comme la vie d'un ancien héros.» Contrairement aux autres fleuves allemands qui «se divisent en plusieurs branches» et dont «les ondes [...] se troublent facilement [...] Le Rhin seul est presque inaltérable. Les contrées qu'il traverse paraissent tout à la fois si sérieuses et si variées, si fertiles et si solitaires, qu'on serait tenté de croire que c'est lui-même qui les a cultivées, et que les hommes d'à présent n'y sont pour rien.

■ «beinahe unveränderlich. Die Gegenden, durch welche er fließt, sind zugleich so ernst und so mannigfaltig, so fruchtbar und so einsam, daß man geneigt ist zu glauben, er selbst habe sie angebaut, ohne alles Zutun der heutigen Anwohner. Dieser Strom erzählt, im Vorüberfließen, die Großtaten der ehemaligen Zeit, und Hermanns Schatten scheint noch über den steilen Ufern einherzuirren.»

Deutsche Rheinromantik steht solchen Schwärmereien in nichts nach. Wer kennt es nicht: Heinrich Heines wehmütiges Gedicht über die goldblonde Nixe Loreley, die einer verführerischen Sirene gleich die Rheinschiffer ins Verderben lockte. Als schönster Abschnitt des Rheins gilt der Flußlauf im Bundesland **Rheinland-Pfalz**, wo steile Felsen und romantische Burgen, blitzblanke kleine Puppenstuben-Städtchen zu Füßen der Rebhänge und ehrwürdige, tausendjährige Dome die Ufer des Rheins weit über die Landeshauptstadt Mainz hinaus bis nach Speyer säumen. Für Heinrich von Kleist, der 1801 eine Rheinreise unternahm, war der Abschnitt zwischen Mainz und Koblenz «eine Gegend wie ein Dichtertraum, und die üppigste Phantasie kann nichts schöneres erdenken, als dieses Tal.»

Bei Koblenz erreicht auch die Mosel den Rhein, nachdem sie – vorbei an den sorgfältig gepflegten Weinterrassen im Westen des Bundeslandes – ein «schikanöses, gebirgiges Terrain durchstreift» hat, wo sie, wie Goethe weiter vermerkte, «nur im Schlangengange fortwandeln kann». Sein Zeitgenosse, der Dichter Justinus Kerner interpretierte das Mäandern des Flusses etwas prosaischer: «Was krümmt die Mosel sich so sehr? / Oh weh, sie muß zum Rhein, zum Meer / Und möcht daheim nur bleiben.»

■ «almost unchanging. The regions through which it flows are at the same time so severe and so varied, so fruitful and so isolated, that one could almost believe that the river had created them itself, without any assistance from the present riverains. As it flows past, this same river tells of heroic deeds from former times, and Hermann's shade still seems to roam above its steep banks.»

German Rhenish Romanticism is equal to such rapture. Who does not know Heinrich Heine's melancholy poem about the gold blond locks of the Lorelei, the seductive mermaid who lured sailors on the Rhine to their destruction. The most attractive section of the Rhine is considered to be the course of the river in the state of **Rhineland-Palatinate**, where steep cliffs and romantic castles, spick-and-span doll house towns at the foot of the wine terraces and venerable thousand-year-old cathedrals line the banks of the Rhine far past the state capital of Mainz up to Speyer. For Heinrich von Kleist, who undertook a Rhine journey in 1801, the portion between Mainz and Koblenz was «an area like a poet's dream, and even in the wildest fantasies nothing could be more beautiful than this valley.»

Koblenz is at the confluence of the Mosel and the Rhine, after the Mosel has meandered through the carefully tended wine terraces. Goethe's contemporary, Justinus Kerner, queried: «Why does the Mosel bow so low? / Alack to the Rhine, to the sea it must flow / And would lief stay at home.»

Die Weinberge von Merl an der Mosel.
The vinyards of Merl on the Mosel.
Les vignobles de Merl, sur la Moselle.

■ Ce fleuve raconte, en passant, les hauts faits des temps jadis, et l'ombre d'Arminius semble errer encore sur ces rivages escarpés.» Un siècle plus tard, dans son recueil de poèmes intitulé «Rhénanes», Apollinaire évoque la beauté enivrante des lieux: «Le Rhin le Rhin est ivre où les vignes se mirent / Tout l'or des nuits tombe en tremblant s'y refléter…».

Cependant, la littérature allemande de la période romantique n'a rien à envier aux envolées lyriques de Madame de Staël. Le Rhin inspira à Heinrich Heine le célèbre poème de la blonde Lorelei, irrésistible sirène dont le chant envoûtait les bateliers qui allaient s'échouer sur les rochers. Entre Mayence, capitale du Land de **Rhénanie-Palatinat**, et Coblence se situe la partie la plus attrayante de la vallée rhénane. Le Rhin se fraie un chemin au milieu d'un dédale de rochers, offrant le spectacle de ses rives abruptes, couronnées de châteaux forts romantiques et couvertes parfois de vignobles au pied desquels s'épanouissent de pittoresques petits villages, dominés par des églises et des cathédrales séculaires.

À Coblence, au lieu baptisé «Deutsches Eck», la Moselle vient se jeter dans le Rhin après avoir traversé les massifs de l'Eifel, à l'ouest, et du Hunsrück, à l'est, «région tourmentée» à travers laquelle, selon Goethe, la rivière «ne peut progresser qu'en décrivant de nombreux méandres». L'un de ses contemporains, Justinius Kerner, médecin et écrivain, interprète le tracé très sinueux de la Moselle de façon plus prosaïque: «Pourquoi la Moselle se contorsionne-t-elle ainsi ? / Hélas, il lui faut rejoindre le Rhin, gagner la mer / Elle, qui ne demande qu'à rester chez elle.»

Frankfurt am Main.
Frankfurt am Main.
Francfort-sur-le-Main.

Eine wahrhaft spektakuläre Schleife aber zieht ein südlicher Nebenfluß der Mosel: Etwa auf halber Strecke zwischen Trier und Saarbrücken gräbt die Saar einen 200 Meter tiefen «Knick» in ihre bewaldeten Uferhänge. Das **Saarland** ist – abgesehen von den Stadtstaaten – das kleinste Bundesland der Republik und war bis zur Wiedervereinigung auch ihr jüngstes. Denn erst nachdem sich seine Bürger 1955 für den Wiederanschluß an Deutschland aussprachen, entließ Frankreich die bedeutende Montanregion aus der nach dem Zweiten Weltkrieg gegründeten Wirtschafts- und Währungsunion. Die Verbindung zu Frankreich ist jedoch nie abgerissen, wie man an der saarländischen Kunst des «savoir-vivre» sieht.

Der Rhein bildet die Trennlinie zwischen Rheinland-Pfalz und Hessen. Frankfurt ist zwar nicht die Hauptstadt des Bundeslandes **Hessen** – das ist die ehemals beim europäischen Hochadel so beliebte Kurstadt Wiesbaden –, aber sein unumstrittener Mittelpunkt. Im Zweiten Weltkrieg weitgehend zerstört, wurde die Stadt, wie der Wahl-Frankfurter Horst Krüger in seinem Plädoyer für die Mainmetropole schreibt, «in den wilden fünfziger Jahren, als ein chaotischer Aufbau wucherte, noch einmal kaputt gemacht. Von der jahrhundertealten, ehrwürdigen Freien Stadt, wo einst die deutschen Kaiser gekrönt wurden, ist fast nichts mehr geblieben.» Das moderne Frankfurt mit seiner Skyline gläserner Wolkenkratzer, den imposanten Banken- und Büropalästen, ist eine europäische Finanzmetropole par excellence. Zusammen mit dem großen Einzugsgebiet ist es für Horst Krüger «einziger Marktplatz moderner Industrien, ein riesiges Wirtschaftszentrum von faszinierender Kraft».

A truly spectacular oxbow is formed by a more southerly tributary of the Mosel; at approximately the half-way mark between Trier and Saarbrücken, the Saar furrows a 650-foot deep bend in its wooded river bank slopes. Apart from the city states, **Saarland** is the smallest state in the republic and, until the reunification of Germany, its newest as well. For it was not until its citizens decided in 1955 to rejoin Germany that France permitted the important mining region to leave the economic and monetary union founded after the Second World War. But the liaison with France has never been completely broken off – as can be seen in the Saarland art of «joie de vivre».

The Rhine is the dividing line between Rhineland Palatinate and **Hesse**. Although it is Hesse's metropolis, Frankfurt is not the state capital – that position is held by the health resort of Wiesbaden, formerly so popular with the European aristocracy; it is, however, its undisputed focal point. Although virtually destroyed, the city emerged from the chaos of the Second World War to become, according to Frankfurt's inhabitant by choice Horst Krüger, «destroyed once again in the wild fifties as the chaos of reconstruction grew rampant. There is hardly anything left of the aged worthy free city where once the German emperors were crowned.» For him, the European financial metropolis, including its catchment area, is «just a market place of modern industries, a gigantic economic centre of fascinating power».

Der Junker-Hansen-Turm in Neustadt.
The Junker Hansen Tower in Neustadt.
La tour Junker-Hansen à Neustadt.

Cependant, l'un de ses affluents, la Sarre, doit faire preuve d'une opiniâtreté encore plus grande pour se faufiler à travers la roche cristalline très résistante du Hunsrück. C'est ainsi qu'aux environs de Mettlach, à mi-chemin entre Trèves et Sarrebruck, la rivière dévie son cours de deux cents mètres et s'enfonce à l'intérieur des forêts bordant son rivage, décrivant une boucle parfaite. Plus petit Land du pays (abstraction faite des États-villes de Berlin, Brême et Hambourg), la **Sarre** était également, avant la réunification des deux Allemagne, le plus jeune des États fédérés. Rattachée économiquement à la France après la Seconde Guerre mondiale, elle fut réintégrée politiquement à l'Allemagne en 1957, à la suite d'un référendum effectué auprès de la population sarroise deux ans plus tôt. Toutefois, l'empreinte laissée par la France n'a pas complètement disparu et se manifeste encore dans un certain savoir-vivre cultivé avec soin par les Sarrois.

Le Rhin forme une frontière naturelle entre le Land de Rhénanie-Palatinat et la **Hesse**. Si Wiesbaden, élégante station thermale, jadis très prisée de la noblesse, s'enorgueillit du titre de capitale hessoise, le véritable noyau de la vie culturelle et scientifique mais aussi de l'activité économique de cette région est Francfort-sur-le-Main. Horst Krüger, qui avait choisi de s'y établir, la décrit comme «une ville bruyante, industrieuse, prospère, un rien trop fébrile et vulgaire: beaucoup d'Opel Rekord, beaucoup de commerçants. Mais le sol ici a été étrangement consacré par l'Histoire. C'est ici qu'à partir de 1562 furent sacrés les empereurs allemands.»

Doch Hessen ist nicht nur Frankfurt: Da sind auch die vielen kleinen Fachwerkstädte, erholsame Hügellandschaften wie der Taunus oder der Odenwald, das mittelalterliche Limburg mit dem wohl deutschesten aller Dome, die alte Universitätsstadt Marburg oder die Bischofsstadt Fulda.

Hessens Nachbarland **Thüringen** gilt als das «grüne Herz Deutschlands», denn seine Landschaften bieten einem Naturfreund alles, was er sich nur wünschen kann: Schöne Wanderungen über den Rennsteig, atemberaubende Ausblicke von vielen Burgen aus in das Land und über das Mittelgebirge, rauschende Wasserfälle und dazu kühle Grotten. Und nach einem erlebnisreichen Tag wird sich so mancher müde Wanderer an das alte Volkslied erinnern: «Thüringer Wald, wie bist du so schön.»

Die neue Landeshauptstadt Thüringens ist Erfurt, seine größte Stadt und Jahrhunderte hindurch als bedeutendes Handelszentrum berühmt. Doch bei Thüringen denkt man vor allem auch an Orte, die mit der deutschen Kulturgeschichte verbunden sind: Weimar, das Zentrum der deutschen klassischen Literatur, die Lutherstadt Eisenach mit der Wartburg oder die alte Residenzstadt Gotha.

Unsere Reise führt uns weiter nach Osten, in den Freistaat **Sachsen**, in die Messestadt Leipzig und nach Dresden. «Es ist ein unglaublicher Schatz aller Art an diesem schöne Orte», schwärmte schon Goethe über die barocke Pracht der Stadt an der Elbe, die in einer einzigen, verheerenden Bombennacht im Februar des Jahres 1945 fast vollständig dem Erdboden gleichgemacht wurde. Trotz der unübersehbaren Narben im Stadtbild erinnern heute wieder schön restaurierte Bauten wie der Zwinger und die

Die Burg Gleichen bei Arnstadt.
Gleichen Fortress near Arnstadt.
Le château de Gleichen, à Arnstadt.

But Hesse is not just Frankfurt: there are also the old half-timbered towns and restful hilly landscapes such as the Taunus and the Odenwald, medieval Limburg with probably the most German of all cathedrals, the old university city of Marburg, and the cathedral town of Fulda near the Thuringian border.

Hesse's neighbouring state, **Thuringia**, quite rightly bears the honourary title of «Germany's green heartland», for its landscapes offer the hiker everything likely to please: lovely walks over the Rennsteig, breathtaking vistas from many castles of the countryside and highlands, rushing waterfalls and cool grottos. And after a day of adventures, tired hikers will recall the old German folksong: «Thüringer Wald, wie bist du so schön» (Thuringian Woods, how lovely thou art). Thuringia's new state capital is its largest city, Erfurt, for centuries famous as an important trading centre. And yet, when one thinks of Thuringia, one thinks first of places associated with Germany's cultural history: Weimar, centre of German classical literature, Luther's city of Eisenach with the Wartburg, and the old capital city of Gotha.

Our pictorial journey takes us further to the east, to the Free State of **Saxony**, to the trade fair city of Leipzig and to Dresden. «There is an incredible treasure trove of all kinds in this lovely place», Goethe enthused about the baroque splendour of the city on the Elbe, which was almost completely razed in one single devastating night of bombing in February, 1945. Despite the conspicuous scars on the

Cependant, la Hesse ne se limite pas à Francfort. Parmi les multiples richesses de cette région, il faut encore mentionner ses villes anciennes et le charme de leurs maisons à colombage, les paysages vallonnés et boisés du Taunus ou de l'Odenwald, la cité médiévale de Limburg – dont la cathédrale représente l'un des exemples les plus remarquables du style gothique allemand –, la vieille ville universitaire de Marburg et enfin Fulda, siège épiscopal.

Voisine de la Hesse, la **Thuringe**, baptisée «cœur vert de l'Allemagne», apparaît en effet comme un véritable paradis pour les amateurs de randonnée: le chemin du Rennsteig qui traverse tout le massif offre, depuis les éperons couronnés de vieux châteaux, des vues saisissantes sur toute la forêt de Thuringe et permet de découvrir ses grottes et ses cascades tumultueuses. Nouvelle capitale de la Thuringe, Erfurt est également la plus grande ville de la région et, depuis le Moyen Âge, une place commerciale de premier ordre. La Thuringe abrite également de hauts lieux de la culture et de l'histoire allemandes: Weimar, considérée comme la «ville du classicisme allemand», Eisenach où étudia Luther et où se trouve la célèbre forteresse de la Wartburg, et enfin Gotha, ancienne cité résidentielle des ducs de Saxe-Gotha.

Un peu plus à l'est, dans l'État libre de la **Saxe**, nous attendent Leipzig, renommée pour ses foires, et Dresde, située au bord de l'Elbe. Lors d'un voyage qu'il fit en Saxe au début du siècle, le journaliste français Jules Huret ne manqua pas de s'extasier sur la beauté et les richesses de cette «Florence de l'Elbe». Dresde lui apparut comme une «cité riante et hospitalière [qui] attire, en effet, une importante

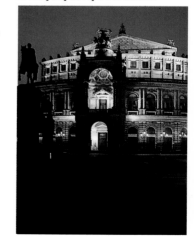

Die Semperoper in Dresden.
The Semper Opera House in Dresden.
Le Semperoper, l'opéra de Dresde.

Semperoper an den Glanz des vielgerühmten «Elb-Florenz». Südwestlich von Dresden erstreckt sich das Elbsandsteingebirge, die Sächsische Schweiz, mit ihren pittoresken Felsformationen und bizarren Steintürmen. Gemächlich ansteigende Bergeshöhen, einsame Täler und reizvolle alte Städte findet man auch im Erzgebirge, dessen hügeliges Vorland für Heinrich von Kleist einen Anblick bot «wie ein bewegtes Meer aus Erde. Da sind nichts als Wogen, immer die eine kühner als die andere.»

Gerade die wegen ihres Dialekts oft und gern belächelten Sachsen sind heute im wirtschaftlichen Um- und Aufbau Ostdeutschlands führend und haben in der Vergangenheit zur Kultur und zum Geistesleben Deutschlands vielleicht mehr beigetragen als so manche ihrer bundesdeutschen Nachbarn. Unter ihnen findet man zahlreiche großer Dichter, Philosophen und Komponisten wie Gotthold Ephraim Lessing, Gottfried Wilhelm Leibniz, Friedrich Nietzsche, Novalis, Erich Kästner oder Richard Wagner.

Sachsen grenzt im Süden an den zweiten Freistaat der Bundesrepublik, der diesen Titel Freistaat so stolz führt, als leite sich daraus die Legitimation für einen Sonderstatus her: **Bayern** ist das größte Bundesland der Republik und – wie viele meinen, darunter auch die Bayern selbst – ihr eigenwilligstes. Weißblauer Himmel über saftig grünen Wiesen und bewaldeten Hügeln, klare Seen vor einem malerischen Alpenpanorama, Zwiebeltürme und geraniengesäumte Balkone vor schmuck herausgeputzten Bauernhäusern, heiter verspielte Barockkirchen und Märchenschlösser – das ist Oberbayern, eines von Deutschlands beliebtesten Ferienzielen und das Naherholungsgebiet der Münchner.

Dresden: August der Starke.
Dresden: Augustus the Strong.
Dresde: Auguste le Fort.

cityscape, beautifully restored buildings, such as the Zwinger and the Semper Opera House, today evoke the former glory of the «Florence of the Elbe». South-west of Dresden stretches the Elbe sandstone mountains, also known as Saxon Switzerland, with its picturesque rock formations and bizarre stone towers. Gently rising mountains, isolated valleys and charming cities can still be found in the Erz Mountain Range, whose rolling foreland reminded Heinrich von Kleist of «a moving sea of earth».

The Saxons, often teased on account of their dialect, are today leaders in the economic reconstruction of eastern Germany; they have perhaps contributed more to Germany's culture than have many other neighbouring states in the Federal Republic. Among them can be listed great poets, philosophers and composers, such as Lessing, Leibniz, Nietzsche, Novalis, Kästner and Richard Wagner.

To the south, Saxony borders Germany's second free state: **Bavaria** is the largest state in the Republic and, as many feel, including the Bavarians themselves, its most highly individual. White and blue skies over lush green meadows and wooded hills, clear lakes in front of a picturesque alpine panorama, onion-shaped towers, and prettily decorated farmhouses with geraniums on their balconies, bright, cheerful baroque churches and fairy-tale castles – that describes Upper Bavaria, one of Germany's most popular holiday destinations and the most easily accessible recreational area for the inhabitants of Munich.

population d'étrangers et de rentiers [...] les théâtres comptent parmi les premiers d'Allemagne...» Il y admira en outre «des musées, des galeries de tableaux, pleins de merveilles et des expositions d'art moderne qui rivalisent avec celles de Munich.» Presque entièrement détruite lors des bombardements de février 1945, Dresde est restée l'une des villes d'art les plus prestigieuses d'Europe. Si ses «blessures de guerre» n'ont pas entièrement disparu, quelques édifices ont cependant été restaurés, tels le Zwinger et l'Opéra, qui témoignent du prestigieux passé de la cité. Au sud-ouest de Dresde se dresse le massif gréseux de l'Elbe, connu sous le nom de «Suisse saxonne», que caractérisent d'étranges formations rocheuses. Les monts Métallifères qui forment la frontière avec la Tchécoslovaquie, offrent un paysage de forêts et de lacs, et des lieux de villégiatures pittoresques et accueillants.

La Saxe qui joue actuellement un rôle prépondérant dans la reconstruction et la restructuration de l'ancienne Allemagne de l'Est, a contribué, peut-être plus encore que les États fédérés voisins, à enrichir le patrimoine culturel de l'Allemagne. Parmi les Saxons de renom figurent de nombreux poètes, écrivains, philosophes et compositeurs tels que Lessing, Leibniz, Nietzsche, Novalis, Kästner et Wagner.

Au sud de la Saxe s'étend la **Bavière**, second État libre d'Allemagne, distinction dont les Bavarois sont fiers, comme si elle leur donnait droit à un statut particulier. La Bavière est le plus vaste Land de la République fédérale et, comme l'affirment les Bavarois eux-mêmes, celui qui manifeste le particularisme le plus marqué. Partagée en deux par le Danube, la Bavière présente dans sa partie méridionale ou

Nicht zuletzt wegen ihres schönen Hinterlands steht Bayerns Landeshauptstadt, die sich werbewirksam selbst zur «Weltstadt mit Herz» ernannt hat, im Ruf, die deutsche Stadt mit dem größten Freizeitwert zu sein. Natürlich tragen dazu auch die vielgeliebten Biergärten bei, aber mindestens genauso attraktiv ist das kulturelle Angebot. Münchens Aufstieg zur Kunststadt begann unter Ludwig I., der es mit dem großangelegten klassizistischen Ausbau (1786–1868) zu der Stadt machte, die Thomas Mann 1903 so beschrieb: «München leuchtete. Über den festlichen Plätzen und weißen Säulentempeln, den antikisierenden Monumenten und Barockkirchen, den springenden Brunnen, Palästen und Gartenanlagen der Residenz spannte sich strahlend ein Himmel von blauer Seide, und ihre breiten und lichten, umgrünten und wohlberechneten Perspektiven lagen in dem Sonnendunst eines ersten, schönen Junitages. Vogelgeschwätz und heimlicher Jubel über allen Gassen. – Und auf den Plätzen und Zeilen rollt, wallt und summt das unüberstürzte und amüsante Treiben der schönen und gemächlichen Stadt.»

Die Blüten der Münchner «Kunstszene» aber kommentiert der große deutsche Schriftsteller, der etwa 40 Jahre in der Stadt an der Isar lebte, schon damals nicht ohne Ironie: «Die Kunst blüht, die Kunst ist an der Herrschaft, die Kunst streckt ihr rosenumwundenes Zepter über die Stadt hin und lächelt. Eine allseitig respektvolle Anteilnahme an ihrem Gedeihen, eine allseitige, fleißige und hingebungsvolle Übung und Propaganda in ihrem Dienste, ein treuherziger Kultus der Linie, des Schmuckes, der Form, der Sinne, der Schönheit obwaltet. – München leuchtete.»

Die Bavaria-Statue in München.
The Bavaria statue in Munich.
La statue de la Bavaria, à Munich.

Bavaria's state capital has the reputation of being the German city with the greatest recreational opportunities, and this not only on account of its beautiful hinterland. Naturally, the very popular beer gardens add to this, but the cultural palette is just as attractive. Munich's rise as a city of art began under Ludwig I (1786–1868) who, with his large-scale classical building programm, made it the city which Thomas Mann described thus in 1903: «Munich was radiant. Above the gay squares and white columned temples, the classicistic monuments and the baroque churches, the leaping fountains, the palaces and parks of the Residence there stretched a sky of luminous blue silk. Well-arranged leafy vistas laced with sun and shade lay basking in the sunshine of a beautiful day in early June. There was a twittering of birds and a blithe holiday spirit in all the little streets. – And in the squares and past the rows of villas there swelled, rolled and hummed the leisurely, entertaining traffic of that easy-going charming town.»

But the great German author, who lived for 40 years in the city on the Isar, commented even then not without a certain irony on the flowering of Munich's «art scene»: «Art flourished, art swayed the destinies of the town, art stretched above it her rose-bound sceptre and smiled. On every hand obsequious interest was displayed in her prosperity, on every hand she was served with industry and devotion. There was a downright cult of line, decoration, form, significance, beauty. – Munich was radiant.»

Haute-Bavière, des paysages idylliques: verts alpages, collines boisées, lacs glaciaires, décor grandiose abritant des villages d'opérette aux chalets fleuris, des églises baroques et de fabuleux châteaux. La Haute-Bavière est l'une des régions les plus appréciées des vacanciers et des Munichois eux-mêmes.

Au XVIIIᵉ siècle, Montesquieu, qui avait entrepris un voyage à travers l'Europe, s'arrêta quelques jours à Munich et nota dans ses carnets de voyage: «C'est une belle ville: les rues sont larges et belles; les maisons, assez bien bâties. Elle est sur l'Isar, qui se jette dans le Danube. Le climat y est tempéré: il est plus beau dans l'automne que dans aucune saison.» La capitale de la Bavière qui se pare elle-même du titre de «métropole qui a du cœur», est considérée comme la ville allemande offrant les plus grandes possibilités de loisirs et de distractions: depuis le simple plaisir de savourer une bière dans l'un de ses multiples «Biergärten» jusqu'aux promenades à travers ses nombreux parcs, sans oublier les manifestations culturelles variées. Le fils de Thomas Mann, l'écrivain Klaus Mann, qui passa sa jeunesse dans la maison paternelle sur les rives de l'Isar, a rendu admirablemrent hommage, dans sa célèbre autobiographie *Le Tournant*, à la vie artistique munichoise.

L'essor artistique de Munich s'effectua sous l'impulsion de Louis Iᵉʳ qui enrichit le patrimoine architectural de la cité d'édifices classiques comme la Pinacothèque, la Glyptothèque, les Propylées et l'Université. Munich possède également un riche passé scientifique qu'illustre son imposant Deutsches Museum, l'un des plus importants du monde dans le domaine des sciences et des techniques.

Schloß Nymphenburg in München.
Nymphenburg Castle in Munich.
Le château de Nymphenburg, à Munich.

Doch Bayern besteht nicht nur aus Oberbayern. Im Osten, im alten Bauernland Niederbayern, erstreckt sich die herb-schöne Mittelgebirgslandschaft des Bayerischen Waldes, und nördlich der Donau beginnt der Regierungsbezirk Oberpfalz mit der alten Bischofsstadt Regensburg.

Ein gewisses Eigenleben führen Bayerns «Nordlichter», die Franken, die nicht nur ausgezeichneten Wein und Naturparadiese wie das Altmühltal oder die Fränkische Schweiz zu bieten haben, sondern auch einzigartige architektonische Schätze, viele davon entlang der Romantischen Straße. Sie beginnt in der alten Residenzstadt Würzburg und den sanften Weinhängen Mainfrankens und führt über die mittelterlichen Reichsstädte Rothenburg ob der Tauber und Dinkelsbühl nach Süden bis zu den Allgäuer Alpen, wo sich der bayerische Märchenkönig Ludwig II. in der zweiten Hälfte des 19. Jahrhunderts auf einem Felsen bei Füssen sein wohl berümtestes – und von Touristen aus der ganzen Welt meistbesuchtes – Traumschloß Neuschwanstein errichten ließ. Ganz in der Nähe und ebenfalls an der Romantischen Straße liegt die Wieskirche, das Hauptwerk des deutschen Rokokos. «Tanzsaal Gottes» hat man diese Wallfahrtskirche ihrer heiter verspielten Leichtigkeit wegen genannt, deren Schöpfer der Architekt Dominikus Zimmermann und sein Bruder, der Maler Johann Baptist Zimmermann waren.

Im Westen Bayerns oder genauer gesagt: Westlich von München liegt das Land der bayerischen Schwaben, die mit ihren Verwandten im benachbarten Bundesland Baden-Württemberg nicht nur den Dialekt gemeinsam haben, sondern auch ihren realitätsnahen Hang zur Existenzsicherung.

Im Chiemgau.
In Chiemgau.
Dans le Chiemgau.

But Bavaria is not only Upper Bavaria. In the east, in the old agricultural region of Lower Bavaria, stretches the austerely beautiful central chain of mountains of the Bayerischer Wald, and north of the Danube is the beginning of the Upper Palatinate district with its ancient episcopal see of Regensburg.

Bavaria's northernmost inhabitants, the Franks, live an undoubted life of their own. They offer not only excellent wine and nature paradises such as the Altmühltal and the Frankish Switzerland, but unique architectural treasures as well, many of them along the Romantic Road. The road begins in the old Residence city of Würzburg and the gentle wine hills of Mainfranken and runs through the medieval cities of Rothenburg ob der Tauber and Dinkelsbühl towards the south to the Allgäu Alps. Here in the second half of the 19th century on a cliff near Füssen the Bavarian «prince charming» Ludwig II built his famous dream castle of Neuschwanstein. Not far off, and also on the Romantic Road lies the Church in the Meadow, a masterpiece of German rococo.

In the western part of Bavaria or, to be more precise, west of Munich, lies the district of the Bavarian Swabians, who have more than just their dialect in common with their relatives in the neighbouring state of Baden-Württemberg. One thinks of the proverbial Swabian industry and the realistic tendency to ensure their livelihood.

Aux confins est de la Bavière, dans la région traditionnellement agricole de la Basse-Bavière, s'étend la Forêt bavaroise (Bayerischer Wald), paysage d'une beauté farouche. Au nord du Danube commence le Haut-Palatinat dont la capitale est Ratisbonne, cité épiscopale.

Le nord de la Bavière est occupé par la région de Franconie, renommée pour ses vins et ses sites pittoresques. Elle est bordée au sud-est par le massif du Jura franconien qui abrite l'Altmühltal, un des plus grands parcs naturels d'Allemagne. La Franconie possède également de nombreux trésors architecturaux que permet de découvrir la Route romantique. Celle-ci part de Würzburg, ancienne ville impériale, et de la vallée du Main, couverte de vignobles, et mène vers les vieilles cités médiévales de Rothenburg et Dinkelsbühl, puis descend vers le sud pour gagner les Alpes de l'Allgäu, lieu de pèlerinage de millions de touristes qui viennent s'émerveiller devant le château de Neuschwanstein, construit vers 1870 près de Füssen, à l'instigation de Louis II de Bavière. Non loin de là, sur la Route romantique, se dresse l'église de Wies, chef-d'œuvre de l'art rococo allemand, réalisée par l'architecte Dominikus Zimmermann.

A l'ouest de Munich s'étend une région de cultures et d'élevage, appelée cercle de Souabe (capitale: Augsbourg) dont le dialecte et les traditions rappellent fortement ceux du Land de Bade-Wurtemberg voisin. Cette similitude s'explique par un passé commun puisque cet ancien duché fut très longtemps peuplé par les Souabes dont certains traits de caractère (bon sens «normand» et goût de l'économie) se retrouvent aujourd'hui chez les habitants de cette région.

■ **Baden-Württembergs** Landeshauptstadt Stuttgart beschrieb wohl keiner treffender als Thaddäus Troll in seinem 1969 erschienenen Buch *Stuttgart, Stuttgart*: «Bei dem Wort Stuttgart empfinde ich Zuneigung und Skepsis, Herzlichkeit und Reserve für und gegen diese eher liebenswerte als liebenswürdige, eher rechtschaffene als kurzweilige, eher isolierende als gesellige, eher lebendige als lebhafte Stadt.» Für Troll ist der Motor der schwäbischen Metropole: «Das Neue, welches das Alte zu überwinden trachtet, und das Alte, das sich schwäbisch zäh dem Neuen entgegenstellt: Dieser Widerspruch erhält die wohlhabendste Stadt Deutschlands, in der der Mensch schafft und das Geld arbeiten läßt, so lebendig.»

Stuttgart liegt in einem von Wäldern, Weinhängen und Obstgärten umrahmten Tal, das sich zum Neckar hin öffnet. Eingebettet in die liebliche Flußlandschaft des Neckartals nordwestlich von Stuttgart liegt Heidelberg, die Stadt mit der berühmtesten Schloßruine der Welt, einer der ältesten Universitäten Deutschlands und dem unzerstörbaren Flair deutscher Romantik. Der amerikanische Schriftsteller Mark Twain reiste mit dem 1878 auf einem Floß dorthin. Nach dieser Floßfahrt auf dem Neckar geriet selbst er, der die Erlebnisse seiner Europareise mitunter eher ironisch darstellte, ins Schwärmen: «Deutschland im Sommer ist die Vollendung des Schönen, aber niemand, der nicht auf einem Floß den Neckar hinuntergefahren ist, hat die äußersten Möglichkeiten dieser sanften und friedlichen Schönheit wirklich begriffen und ausgekostet. Die Bewegung eines Floßes ist genau die richtige [...] und das Dasein wird ein Traum, ein Zauber, ein tiefes und stilles Entzücken.»

■ **Baden-Württemberg's** capital, Stuttgart, has probably never been better known and described than by the German author Thaddäus Troll in his book *Stuttgart, Stuttgart*, published in 1969: «I feel both affection and scepticism when I hear the word Stuttgart, heartiness and reserve for and against this rather more lovely than lovable, more isolating than companionable, more living than lively city.» For Troll, the moving force of the Swabian metropolis is: «The New, which attempts to overcome the Old, and the Old, like a Swabian, in opposition to the New: this contradiction is what makes Germany's wealthiest city, in which man creates, and lets money work, so lively.»

Stuttgart lies in a valley surrounded by woods, vineyards and fruit orchards. Nestled in the gentle river landscape of the Neckar northwest of Stuttgart lies Heidelberg, the city with the most famous castle ruins in the world, one of the oldest universities in Germany and the indestructible flair of German romanticism. Even Mark Twain, who portrayed his adventures during his European journey in a rather ironic tone, fell thus to enthusing after a raft trip on the Neckar in 1878: «Germany in the Summer is the perfection of the beautiful, but nobody has understood and realized and enjoyed the utmost possibilities of this soft and peaceful beauty unless he has voyaged down the Neckar on a raft. The motion of the raft is the needful motion [...] and existence becomes a dream, a charm, a deep and tranquil ecstasy.»

Schloß Favorite in Rastatt.
Castle Favorite in Rastatt.
Rastatt: le château de la Favorite.

■ Capitale du Bade-Wurtemberg, Stuttgart s'est développée au cœur d'une vallée entourée de forêts, de vignobles et de vergers, qui s'ouvre sur le Neckar. Dans son ouvrage paru en 1969 *Stuttgart, Stuttgart*, l'écrivain Thaddäus Troll a su parfaitement exprimer les sentiments controversés que la cité suscite en lui: «Lorsque j'entends le mot Stuttgart, j'éprouve un mélange d'attirance et de scepticisme, de sympathie et de retenue envers et contre cette ville qui semble plus digne d'être aimée qu'aimable, plus laborieuse que divertissante, plus propice à l'isolement qu'à la vie en société, plus vivante qu'animée.»

Nichée dans la vallée du Neckar, Heidelberg, une des plus anciennes universités d'Allemagne, au charme romantique toujours présent, fut pendant des siècles la résidence des Électeurs palatins. Depuis son célèbre château de grès rouge qui contraste avec les forêts environnantes se déploie un splendide panorama sur la cité, la vallée du Neckar et la plaine du Rhin. Montesquieu, qui visita la citadelle, y vit le fameux Grand tonneau, énorme foudre (d'une capacité de 220 000 litres environ) muni d'une pompe qui permettait de tirer du vin à partir de la salle royale: «J'ai été au Château voir la fameuse tonne. Effectivement, c'est une belle pièce», s'exclame le grand homme qui ajoute« [...] on juge dans les communautés que le foudre est la portion d'un moine toute l'année. Ainsi ce foudre peut suffire pour 204 moines.» Pour la petite histoire, il faut préciser qu'un nain bouffon appelée Perko était préposé à la garde du tonneau, et qu'il est resté bien vivant dans la mémoire des habitants à cause de son incroyable capacité d'absorption.

Die Donau in der Schwäbischen Alb.
The Danube in the Swabian Alps.
Le Danube dans le Jura souabe.

■ Die Perle des oberen Neckartals ist die Universitätsstadt Tübingen, Wohn- und Studienort großer deutscher Dichter wie Friedrich Hölderlin, Eduard Mörike und Hermann Hesse oder der Philosophen Hegel und Schelling. Sozusagen vor den Toren Tübingens erstreckt sich der Schwarzwald, dessen dichtbewaldete Hänge und hübschen Kurorte ihn zu einer Ferienregion par excellence machen. Die eindrucksvollsten Szenerien findet man im südlichen Schwarzwald, der mancherorts ein fast alpines Bild zeigt. An klaren Tagen bietet sich von den höchsten Gipfeln, dem Feldberg und dem Belchen, ein herrlicher Blick auf die Alpenkette im Süden.

Von den Schwarzwaldhöhen geht es hinunter in die herrliche Landschaft rund um das «Schwäbische Meer», das sich seine drei Anrainerstaaten Österreich, Deutschland und die Schweiz teilen. Mit seinem milden Klima und der üppigen Vegetation ist der Bodensee die Region Deutschlands, die bereits an südliche Gefilde denken läßt und wo – gleichsam allen politischen Voraussetzungen zum Trotz – immer die friedvolle Amosphäre herrschte, wie sie Horst Wolfram Geissler in seinem 1921 erschienenen Roman *Der Liebe Augustin* beschrieb: «Der lächelndste [...] Himmelsspiegel war dort, wo ein halbes Dutzend Länder aneinandergrenzten. Man sollte meinen, ein solcher Winkel sei gefährlich und ein rechtes Wetterloch für Streitigkeit und Krieg. Aber es war schon gesorgt, daß der Friede erhalten blieb, denn eben diesen Grenzwinkel hatte der liebe Gott sozusagen mit seinem nassen Finger betupft [...] damit er sich nicht erhitzen könnte – und nun lag da ein wundervolles Wasser, der Bodensee.»

■ The jewel of the upper Neckar valley is the university city of Tübingen, where great German poets such as Friedrich Hölderlin, Eduard Mörike and Hermann Hesse, as well as the philosophers Hegel and Schelling, resided and studied. Tübingen's gates extends the Black Forest, a holiday region par excellence of densely wooded slopes and attractive spas. The most impressive scenery can be found in the southern part of the Black Forest, in some places evoking an almost alpine image. On clear days there is a splendid view of the Alpine range to the south from the highest peaks, Feldberg and Belchen.

From the peaks of the Black Forest we descend into the splendid region around the «Schwäbisches Meer» (Swabian Sea), where a mild climate and luxuriant vegetation call to mind southern climes, and where – all political considerations aside – a peaceful atmosphere always reigned, as described by the German author Horst Wolfram Geissler in his book *Der Liebe Augustin* (Good Old Augustin), published in the year 1921: «The smiling reflection of heaven found where half a dozen countries bordered one another. One would think that such a corner would be dangerous and a real breeding ground for battles and wars. But care was taken that peace should reign, for this corner in particular had been created by God, he had, so to speak, laid his wet finger upon it [...], so that it would not overheat – and now this lovely body of water, Lake Constance, lay sprawled there.»

Schloß Meersburg am Bodensee.
Meersburg Castle on Lake Constance.
Le château de Meersburg.

■ Autre joyau de la vallée du Neckar, Tübingen doit sa renommée à son université qui accueillit des écrivains aussi illustres que Friedrich Hölderlin, Eduard Mörike, Hermann Hesse et de grands philosophes tels Hegel et Schelling ainsi que l'astronome Kepler. À l'ouest de Tübingen s'étend, avec ses paysages densement boisés, la Forêt-Noire, région touristique par excellence, dont le climat a permis le développement de nombreux lieux de cure. Plus au sud, la Haute Forêt-Noire, de caractère alpestre, offre les paysages les plus impressionnants; depuis le Feldberg, point culminant de cette région (1 493 mètres), le randonneur peut jouir d'un vaste panorama sur les Alpes.

Après avoir quitté ces contrées au relief tourmenté, le visiteur se retrouve dans le superbe cadre de la «mer souabe», que se partagent l'Autriche, l'Allemagne et la Suisse. Il perçoit alors le lac de Constance comme un véritable hâvre de paix: la douceur du climat, la végétation quasi tropicale qui y foisonne à certains endroits et ses trois grandes îles Mainau, Lindau et Reichenau, ont valu à cette région d'être considérée par les Allemands comme leur «Riviera».

Au lecteur ou au voyageur qui s'apprête à découvrir l'Allemagne, il reste à souhaiter que tous les paysages, les villes et les villages traversés le mènent aussi vers les hommes qui peuplent ce pays. Il serait en effet dommage que la séduction immédiate de ses sites le dispense d'une rencontre plus patiente avec sa culture. Il lui faudra pour cela sans doute revenir en Allemagne, tant il est vrai, comme le note Madame de Staël, que «ce n'est qu'à la longue qu'on découvre ce qui peut attacher à ce séjour».

Schleswig-Holstein
Schleswig-Holstein
Schleswig-Holstein

DÄNEMARK

Åbenrå

Fynshav

Tønder

Sønderborg   Augustenborg

Westerland

Süderlügum

Weesby

ÆRØ

SYLT

Glücksburg

Flensburger Förde

Niebüll

Schafflund

Flensburg

Leck

A n g e l n

FÖHR

Dagebüll

Sörup

Kieler Bucht

Wyk

Goldelund

Kappeln

Fehmarnbelt

AMRUM

Wanderup

Böklund Süder-brarup

Wittdün

LANGENESS

Bredstedt

Schlei

Puttgarden

HALLIG HOOGE

Haselund

S c h w a n s e n

FEHMARN

Norder-hafen

Silberstedt

Schleswig

Eckernförder Bucht

Burg

Ostersiel

PELLWORM

NORD-STRAND

Husum Mildstedt

Hollingstedt

Eckernförde

Kieler Förde

Heiligenhafen

Großenbrode

SÜDEROOG-SAND

N a t u r p a r k H ü t t e n e r B e r g e

Wittensee

Schönberg

Hohwachter Bucht

NORDFRIESISCHE INSELN

Friedrichstadt

Kronshagen

Kiel

Selenter See

Lütjenburg

Oldenburg in Holstein

St. Peter-Ording

E i d e r s t e d t

Tönning

Büdelsdorf

Westensee

Helgoland

Hennstedt

Eider

Rendsburg

N a t u r p a r k W e s t e n-s e e

Preetz

Naturpark Lensahn

Cismar

N a t i o n a l p a r k

Wesselburen

Tellingstedt

Malente

Schön-walde

Grömitz

S c h l e s w i g-

Heide

Plön

Eutin

Neustadt in Holstein

Lübecker Bucht

H o l s t e i n i s c h e s

D i t h m a r s c h e n

Nord-Ostsee-Kanal

Bordesholm

Ruhwinkel

Großer Plöner See

H o l s t e i n i s c h e

W a t t e n m e e r

Büsum

Meldorf

Albers-dorf

N a t u r p a r k A u k r u g

Haffkrug

Deutsche Bucht

TRISCHEN

Schene-feld

Neu-münster

S c h w e i z

Timmendorfer Strand

Wasbek

Ahrensbök

Friedrichskoog

Burg

Kelling-husen

Bad Segeberg

Bad Schwartau

Travemünde

Kaiser-Wilhelm-Koog

Marne

Wilster

Wahlstedt

Stockelsdorf

Grevesmü...

Duhnen

Cuxhaven

Brunsbüttel

Itzehoe

Bad Bramstedt

Kalten-kirchen

Borstel

Reinfeld

Lübeck

Bokel

Otterndorf

Oste

Krempe

Barmstedt

Henstedt-Ulzburg

Bad Oldesloe

Elbe

Glückstadt

Elmshorn

Quickborn

Ratzeburg

Gadebusch

Uetersen

Ahrensburg

Elbe-Lübeck-Kanal

Mölln

Sterley

Stade

Pinneberg

Wedel

Hamburg

Wittenburg

NIEDERSACHSEN

A l t e s L a n d

Reinbek

Schwarzenbek

Bremervörde

Geesthacht

MECKLENBURG-VORPOMMERN

Buxtehude

Lauenburg

Boizenburg

Oste

Elbe

Buch-holz

Zeven

Lüneburg

N

0   20 k...

34

Schleswig-Holstein, das Land zwischen Nord- und Ostsee, hat eine Fläche von 15 731 Quadratkilometern und rund 2,7 Millionen Einwohner. Im Norden des Bundeslandes, das bis zur Mitte des 19. Jahrhunderts meist zum Königreich Dänemark gehörte, lebt heute noch eine dänische Minderheit, deren etwa 60 000 Mitglieder im Landtag der Hauptstadt Kiel einen eigenen Abgeordneten haben.

Wie ein breiter Damm liegt Schleswig-Holstein zwischen den beiden Meeren, die seit 1895 durch die meistbefahrene Wasserstraße der Welt, den fast 100 Kilometer langen Nord-Ostsee-Kanal zwischen Brunsbüttel und Kiel, miteinander verbunden sind. Das Leben vom und mit dem Meer, mit seinen Gezeiten und Stürmen, hat das Gesicht dieses Landes überall geprägt: Sei es an der Westküste mit ihren flachen, grasgrünen Marschen und dem vorgelagerten Wattenmeer, auf den Nordfriesischen Inseln wie Amrum, Föhr oder Sylt, auf der roten Felseninsel Helgoland oder an der Ostseeküste mit ihren breiten Sandstränden und den «Förden». Dort, wo diese tief ins Land einschneidenden Meeresarme und Buchten den Schiffen einen sicheren Hafen bieten, entstanden auch Schleswig-Holsteins große Städte: Flensburg, Schleswig, Kiel und Lübeck, die «Königin der Hanse».

Malerisch ist das Hinterland der Städte, die Holsteinische Schweiz. Eingebettet in das bunte Landschaftsmosaik aus bewaldeten Hügeln und Seen liegen zahlreiche alte Herrensitze und Gutshöfe, wo alljährlich beim «Schleswig-Holstein Musikfestival» Konzerte stattfinden. Internationales Publikum trifft man auch bei den Segelregatten der «Kieler Woche» und dem Surf-Weltcup vor Westerland auf Sylt.

Schleswig-Holstein, the state between the North Sea and the Baltic Sea, has a surface area of 6,145 square miles and a population of approximately 2.7 million inhabitants. In the north of the state, which until the mid-19th century for the most time belonged to Denmark, there still lives a Danish minority, whose 60,000 members have their own parliamentary representatives in the capital city of Kiel.

Like a wide dam, Schleswig-Holstein lies between the two seas, which have been joined together since 1895 by the most travelled waterway in the world, the almost 63-mile-long Kiel Canal between Kiel and Brunsbüttel. Living by and with the sea, with its tides and storms, has left its mark over all this state: whether it is on the west coast with its grass-green marshes and the offshore shallows, on the North Frisian islands such as Amrum, Föhr and Sylt, on Helgoland, or on the Baltic Sea coast with its sandy beaches and «Förden» (firths). Here, where sea arms and bays offer a safe harbour, is where Schleswig-Holstein's large cities were created: Flensburg, Schleswig, Kiel and Lübeck, the Queen of the Hansa. The cities' hinterland is picturesque; this is the Holstein Switzerland. Dotted throughout the colourful landscape mosaic of wooded hills and lakes lie numerous manor houses and estates, where annual musical concerts are held during the «Schleswig-Holstein Musikfestival». An international crowd can be found at the sailing regattas during the «Kieler Woche» and the world surfing cup off Westerland on Sylt.

Situé entre la mer du Nord et la Baltique, le Schleswig-Holstein couvre une superficie de 15 731 kilomètres carrés et est peuplé d'environ 2,7 millions d'habitants. Jusqu'au milieu du XIXe siècle, la quasi-totalité de ce territoire faisait partie du royaume de Danemark. Aujourd'hui encore, une minorité danoise vit dans le nord du Land et est représentée par un député au parlement de Kiel.

Le Schleswig-Holstein est comme une large digue entre deux mers – une digue traversée depuis 1895 par le canal de la mer du Nord à la Baltique, la voie maritime la plus fréquentée au monde. Le visage de ce Land a été entièrement façonné par la mer, les marées et les tempêtes. La côte ouest se caractérise par des prairies verdoyantes, de vastes étendues découvertes à marée basse (la mer des Wadden), les îles les plus septentrionales de l'archipel frison (dont Amrum, Föhr et Sylt), ainsi que par les falaises rouges de l'île d'Helgoland. La côte orientale présente de longues plages de sable et de nombreux «Förden», des avancées de la mer loin à l'intérieur des terres. C'est au fond de ces «fjords» et dans les golfes, que les villes principales se sont développées: Flensburg, Schleswig, Kiel et Lübeck, la «reine de la Hanse».

L'arrière-pays de ces villes (Suisse du Holstein) est très pittoresque: de nombreux manoirs et anciens domaines seigneuriaux y sont comme enchâssés dans un paysage multicolore de lacs et de collines boisées. C'est là que tous les ans est organisé le Festival de musique du Schleswig-Holstein. Le public international assiste également aux régates de Kiel et au championnat du monde de planche à voile qui se déroule à Westerland, sur l'île de Sylt.

Tänze, Brauchtum und Sprache werden auf Helgoland bis heute gepflegt. Roter Vollrock, Mütze und das buntgemusterte Brusttuch gehören zur Tracht der Bewohner der roten Felseninsel.

Dances, customs and language have been preserved on Helgoland. Red woollen skirts, caps and colourful chest carves are part of the traditional costume of the inhabitants of the red rocky island.

Habitants d'Helgoland en costumes traditionnels: robe de laine rouge, casquette et foulard multicolore. L'«île aux falaises rouges» conserve des danses et un dialecte qui lui sont propres.

Die Marienkirche in
Lübeck ist eines der
wichtigsten Werke der
Backsteingotik. 19..
zerstört, wurde sie bis
1959 wiedererrichtet.

Lübeck's Church of
Our Lady is one of the
most important brick
Gothic works.
Destroyed in 1942, it
was rebuilt in 1959.

L'église Notre-Dame
de Lübeck, une des
œuvres majeures
du «gothique en
briques», fut détruite
en 1942 et recons-
truite en 1959.

Vorangehende Dop-
pelseite: Nahe beim
Dom der Stadt
Schleswig liegt die
alte Fischersiedlung
«Auf dem Holm».

Previous double page:
The old fisherman's
settlement «Auf dem
Holm» is located near
the cathedral in the
city of Schleswig.

Double page précé-
dente: le vieux village
de pêcheurs «Auf dem
Holm», se trouve près
de la cathédrale de
Schleswig.

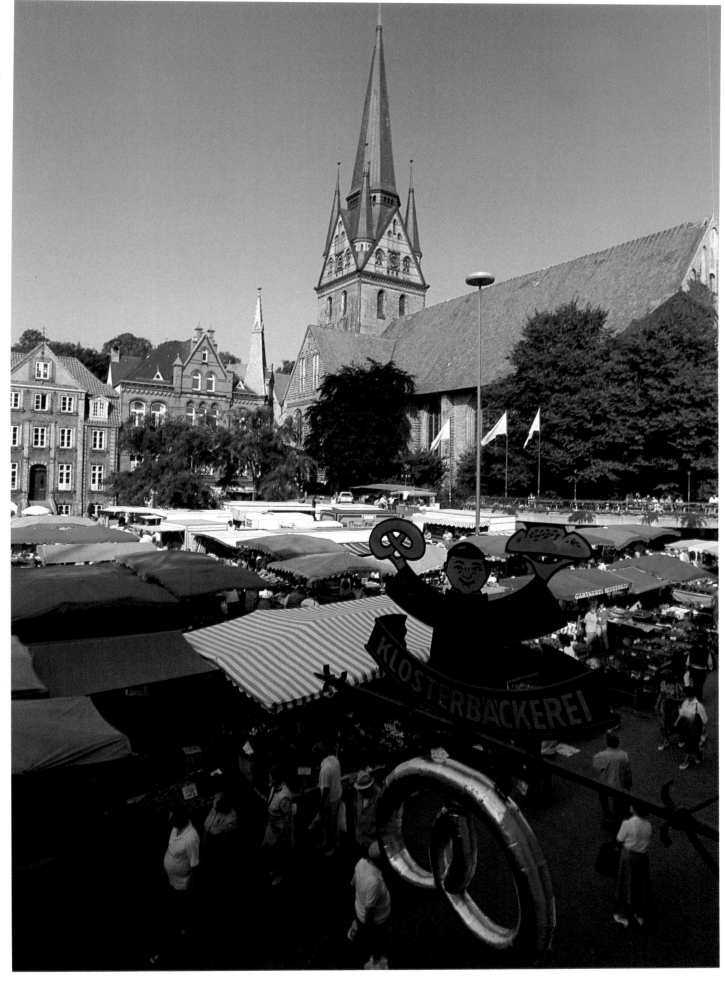

Der Südermarkt in der Altstadt von Flensburg wird von gotischen Nikolai-kirche überragt, die zwischen 1390 und 1480 entstanden ist.

The Nikolai Church, built between 1390 and 1480, towers over the Südermarkt in Flensburg's old town.

Le Südermarkt de la vieille ville de Flensburg est dominé par l'église gothique St Nicolas, construite entre 1390 et 1480.

Folgende Doppelseite: Blick vom Turm des Rathauses auf den Hafen der Landes-hauptstadt Kiel.

Following double page: View from the Town Hall tower over the harbour of the state capital Kiel.

Double page suivante: le port de Kiel, la capitale du Land, du haut de la tour de l'hôtel de ville.

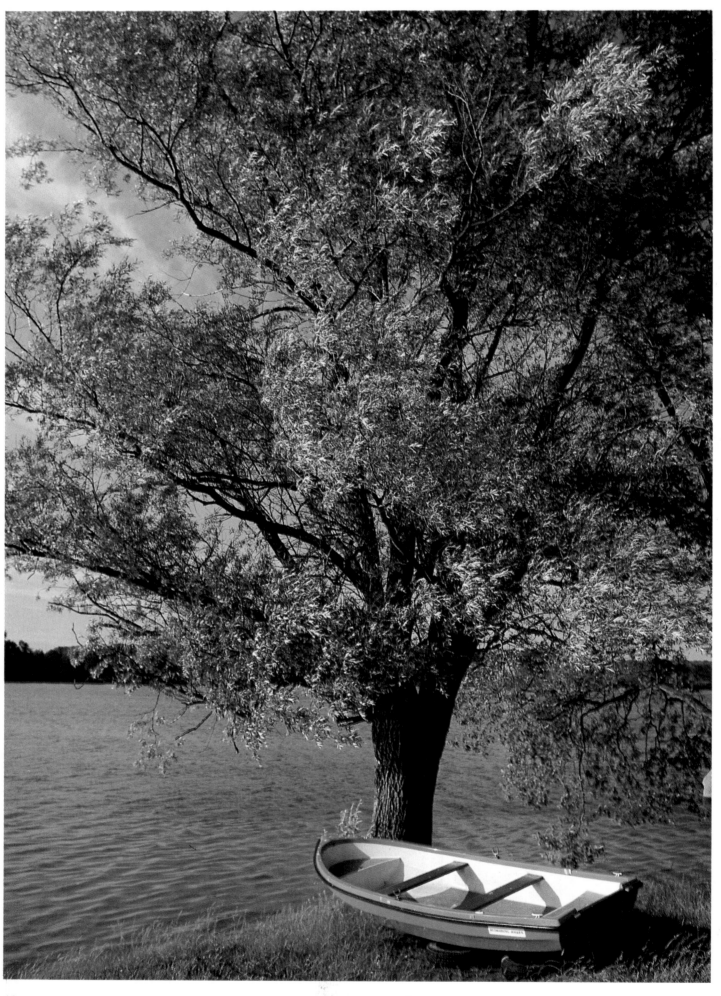

Die Holsteinische
Schweiz bietet dem
Besucher unzählige
Seen. Der Vierer Se
gehört zu den kleine
ren, aber besonders
reizvollen Seen.

The Holstein
Switzerland offers
its visitors numerou
lakes. The Vierer Se
one of the smaller
lakes, is especially
charming.

Le Vierer See, l'un
des plus petits mais
également des plus
charmants plans
d'eau que compte la
«Suisse du Holstein

48

Mecklenburg-Vorpommern
Mecklenburg-Western Pomerania
Mecklenbourg-Poméranie occidentale

OSTSEE

Kap Arkona

Altenkirchen
Tromper Wiek

Stubbenkammer

Vitte
HIDDENSEE
JASMUND
Trent
Saßnitz
RÜGEN

Zingst
DARSS
ZINGST
Bergen
Binz
Sellin

Ahrenshoop
Baabe
Göhren

Wustrow
FISCHLAND
Barth
Saaler Bodden
Stralsund
Putbus

FEHMARN
Puttgarden

Heiligenhafen

Mecklenburger Bucht
Graal-Müritz
Klockenhagen
Löbnitz
Greifswalder Bodden
BALTISCHE SEE

Warne-münde
Ribnitz-Damgarten
Reinberg
Pommersche Bucht

SCHLESWIG-HOLSTEIN
Heiligendamm
Nienhagen
Richten-berg
Greifs-wald
Peenemünde

Lübecker Bucht
Kühlungsborn
Rerik
Bad Doberan
Warnow
Grimmen
Zinnowitz

Timmendorfer Strand
Krøpelin
Bad Sülze
Poggendorf
Wolgast
USEDOM

Rostock
Tessin
Züssow
Bansin
Heringsdorf
Ahlbeck

Boltenhagen
Pepelow
Neu-bukow
Recknitz
Gnoien
Jarmen
Lassan

Lübeck
POEL
Schwaan
Laage
Trebel
Gützkow
Anklam
Usedom
Swinoujście Swinemünde

Klütz
Wismar
Neukloster
Bützow
Matgendorf
Dargun
Demmin
Völschow
Peene
Stettiner Haff

Greves-mühlen
Mecklenburger Seenplatte
Teterow
Kummerower See
Peene
Sarnow
Ducherow
Ueckermünde

Schönberg
Güstrow
Inselsee
Malchin
Ivenack
Altentreptow
Friedland
Ferdinandshof
Torgelow
Ueckermünder Heide

Rehna
Warin
Brüel
Sternberg
Malchiner See
Reuterstadt Stavenhagen
Jatznick

Gade-busch
Schweriner See
Kleefeld
Krakow am See
Krakower See
Bossow
Neubrandenburg
Strasburg
Pasewalk

Ratzeburg
Schwerin
Crivitz
Goldberg
Goldberger See
Varchentin
Tollense-See
Alt-Käbelich

Mölln
Schaalsee
Friedrichs-ruhe
Karow
Fleesen-see
Kölpin-see
Waren
Penzlin
Wolfshagen
Rollwitz
Bismark

Wittenburg
Banzkow
Karow
Malchow
Klink
Stolpe
Krackow

Boizen-burg
Hagenow
Ostkrug
Störkanal
Elde-kanal
Plau
Plauer See
Müritz
Strelitzer

Vellahn
Wöbbelin
Parchim
Lübz
Ganzlin
Röbel
Ludorf
Neustrelitz
Strelitz-Alt
Feld-berg
Prenzlau

Pritzier
Redefin
Neustadt-Glewe
Suckow
Meyen-burg
Mirow
Wesen-berg
Seenplatte

Dahlen-burg
Elbe
Ludwigslust
Grabow
Fürsten-berg
Lychen
Templin

Eldena
Wittstock
Rheinsberg
Havel

Dömitz
Lenzen
Pritzwalk
Gransee

Dannenberg
Perleberg
Zehdenick

Lüchow
Wittenberge
Kyritz
Neuruppin
Löwenberg

NIEDERSACHSEN
Dosse
BRANDENBURG

SACHSEN-ANHALT

N
0   20 km

Mecklenburg-Vorpommern, das Bundesland im äußersten Nordosten Deutschlands, bedeckt eine Fläche von 23 840 Quadratkilometern und ist mit knapp zwei Millionen Einwohnern nur dünn besiedelt. Malerisch liegt die Landeshauptstadt Schwerin inmitten einer Seenlandschaft, in der sich auf einer kleinen Insel das märchenhaft anmutende Schloß der ehemaligen Herzogsresidenz erhebt. Von bürgerlichem Stolz zeugen die alten Hansestädte an der Ostseeküste, wo auch der wirtschaftliche Schwerpunkt des ansonsten überwiegend agrarisch geprägten Bundeslandes liegt. Wismar, Stralsund und vor allem Rostock, die größte Hafenstadt der ehemaligen Deutschen Demokratischen Republik, sind auch heute die Zentren von Industrie und Handel. Schöne Bürgerhäuser und monumentale gotische Backsteinkirchen findet man in allen drei Städten, aber auch das Binnenland hat architektonische Schätze zu bieten.

Mecklenburg-Vorpommern ist seit den Kindertagen des Tourismus eine beliebte Ferienregion. So ist seine Ostseeküste mit den vorgelagerten Inseln und Halbinseln schon seit 1793, als Deutschlands erstes Seebad Heiligendamm gegründet wurde, en vogue. Zur «Weißen Stadt am Meer» gesellten sich im Lauf der Zeit viele weitere stilvolle Badeorte, darunter an der Festlandsküste Kühlungsborn oder Nienhagen, auf Usedom das elegante Heringsdorf und Ahlbeck mit seiner berühmten Seebrücke oder Binz auf Deutschlands größter Insel Rügen. Ein Paradies für (Süß-)Wasserratten ist die Mecklenburger Seenplatte zwischen Schwerin und Neustrelitz: Eine von der Eiszeit geformte sanftwellige Hügellandschaft mit über 650 kleinen und großen Seen, zahllosen Wasserläufen und ausgedehnten Wäldern.

Mecklenburg-Western Pomerania, Germany's most north-easterly state, covers an area of 9,312 square miles and with its scarcely two million inhabitants is sparsely populated. The state capital of Schwerin lies in a picturesque water-scape in which, on a little island, rises the fabled castle of the former ducal residence. The old Hanseatic towns on the Baltic Sea coast bear witness to bourgeois pride: Wismar, Stralsund and especially Rostock, the largest port of the former German Democratic Republic, are still today the centres of industry and trade. Attractive town houses and monumental Gothic brick churches can be found in all three cities, but the interior also offers architectural treasures.

Mecklenburg-Western Pomerania has been a popular holiday region since tourism's early days. The Baltic Sea coast with its offshore islands and peninsulas was already en vogue in 1793, when Germany's first sea bath Heiligendamm was established. Over the course of time, many other peaceful bathing resorts have joined the «White City on the Sea», among them on the mainland coast Kühlungsborn and Nienhagen, on Usedom the elegant Heringsdorf and Ahlbeck, with its famous bridge, and Binz on Germany's largest island Rügen. A paradise for (fresh) water fans is the Mecklenburger Seenplatte between Schwerin and Neustrelitz: a gently rolling landscape, formed in the ice age, of hills and lakes, over 650 large and small lakes, numerous watercourses and vast woods.

Situé à l'extrême nord-est de l'Allemagne, le Land de Mecklembourg-Poméranie occidentale couvre une superficie de 23 840 kilomètres carrés, et n'est que faiblement peuplé: à peine deux millions d'habitants. Schwerin, la capitale, se trouve dans un paysage lacustre très pittoresque. L'ancien château des ducs, qui semble sorti d'un conte de fées, y a été construit sur une petite île. Les villes du bord de la Baltique, qui faisaient autrefois partie de la Hanse, témoignent d'une certaine fierté bourgeoise. C'est là que se concentre l'activité économique du Land, au demeurant principalement agricole: Wismar, Stralsund et surtout Rostock, le plus grand port de l'ex-RDA, sont d'importants centres industriels et commerciaux. Ces villes comptent de nombreuses et belles demeures bourgeoises, de remarquables monumènts du «gothique en briques», mais l'arrière-pays possède aussi des trésors d'architecture.

Depuis que le tourisme existe, les vacanciers ont toujours apprécié la région. La côte de la Baltique, ses îles et presqu'îles, sont en effet en vogue depuis 1793, date de la fondation à Heiligendamm de la première station balnéaire allemande. D'autres stations de bains sont apparues depuis: Kühlungsborn et Nienhagen sur le continent, Heringsdorf et Ahlbeck sur l'île d'Usedom, ainsi que Binz, station balnéaire de Rügen, la plus grande des îles allemandes. Quant au plateau de Mecklembourg, s'étirant entre Schwerin et Neustrelitz, c'est un véritable paradis pour ceux qui préfèrent l'eau douce: formé à l'époque glaciaire, ce paysage de douces collines abrite en effet plus de six cent cinquante lacs de taille variable; il est parcouru par de nombreux cours d'eau et couvert de grandes forêts.

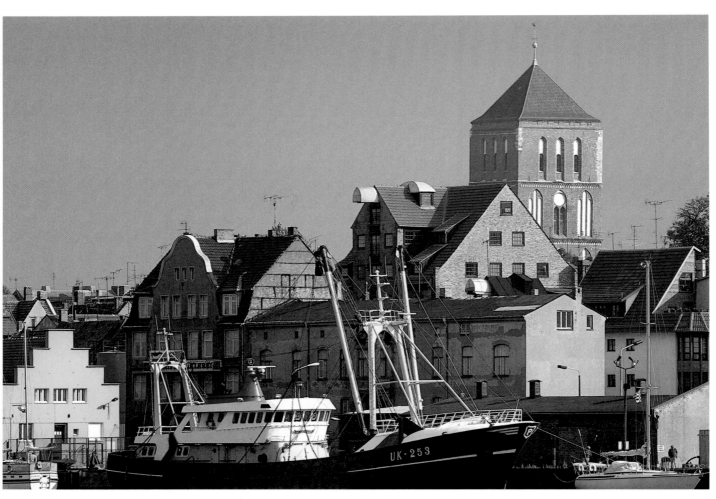

*In Rostock: Die früh.
gotische Nikolaikirc.
überragt das Hafen-
viertel (oben). Die
Bürgerhäuser an de.
Kröpeliner Straße
stammen fast alle au.
dem 18. Jahrhunder.
(unten).*

*In Rostock: The ear.
Gothic Nikolai
Church looms over .
harbour front (top).
The attractive town.
houses on Kröpeline.
Street are almost all
from the 18th centur.
(bottom).*

*Vues de Rostock:
l'église gothique
St Nicolas do-
mine le quartier du
port (en haut); la
plupart des maisons.
bourgeoises de la
Kröpeliner Strasse
datent du XVIII⁰
siècle (en bas).*

*Vorangehende Dop.
pelseite: Der male-
rische Badeort
Ahrenshoop auf
dem Landstreifen
Fischland war frühe.
eine Künstlerkoloni.*

*Previous double pag.
The picturesque
bathing resort of
Ahrenshoop, for-
merly popular as an
artists' colony.*

*Double page précé-
dente: la pittoresque
station balnéaire
d'Ahrenshoop, sur
l'isthme de Fischland.
était jadis un séjour
apprécié des artistes.*

Die wuchtige Backsteinkirche St. Marien beherrscht den Marktplatz von Güstrow, der 1226 gegründeten Stadt am Inselsee.

The massive brick church of St. Mary dominates the market square in Güstrow, the city founded in 1226 on the Inselsee.

L'église Sainte-Marie de Güstrow, ville fondée en 1226 sur les bords de l'Inselsee. Cet édifice domine de sa masse imposante la place du Marché.

Folgende Doppelseite: Blick auf Apsis und Kreuzaltar im gotischen Dom der Landeshauptstadt Schwerin.

Following double page: View of the apse and altar in the Gothic cathedral of the state capital of Schwerin.

Double page suivante: la nef et l'autel de la cathédrale de Schwerin, construite dans le style gothique et achevée en 1420.

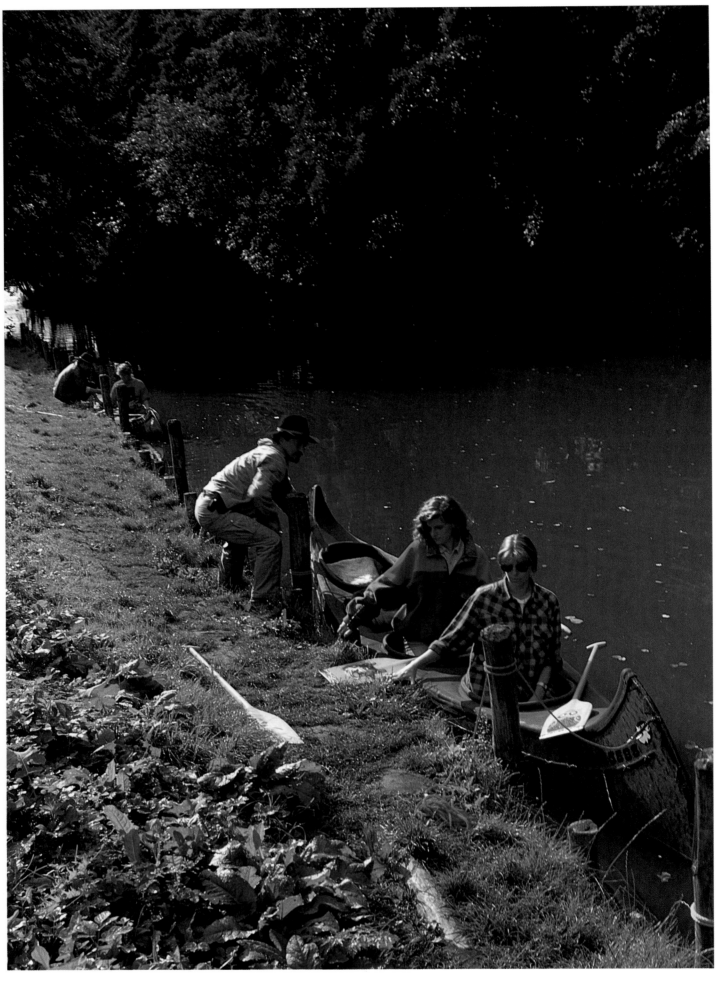

*Im Neustrelitzer
Seengebiet reihen
sich etwa 40 Seen
aneinander, die fast
alle durch Kanäle
verbunden sind: Ei
Paradies für Natur
freunde, Paddler u
Kanuten.*

*In the lake area of
Neustrelitz, some
40 lakes follow one
another, almost all
of them joined by
canals: a paradise f
nature lovers, oars-
men and canoers.*

*Quelque quarante l
s'étendent aux envi
rons de Neustrelitz.
Cette région est un p
radis pour les amis
la nature ainsi que
pour les amateurs
d'aviron et de cano*

Hamburg
Hamburg
Hambourg

■ Hamburg hat eine Fläche von 755 Quadratkilometern – die beiden Nordseeinselchen Neuwerk und Scharhörn eingeschlossen – und ist mit seinen rund 1,7 Millionen Einwohnern die zweitgrößte Stadt der Republik. Die Freie und Hansestadt, wie sich der Stadtstaat nennt, liegt an der Elbe, 110 Kilometer vor der Mündung des Flusses in die Nordsee. Der Hafen, der 1989 seinen 800sten Geburtstag feierte, ist Deutschlands bedeutendster Seehafen und wird – wie Hamburger Wirtschaftsexperten prognostizieren – bald wieder sein wichtigstes Tor zur Welt und die Außenhandelsdrehscheibe Europas sein.

Hamburg ist jedoch schon lange nicht mehr nur Hafen- und Handelsstadt. Industrie- und Medienkonzerne, Banken und Versicherungen haben ihren Hauptsitz in der Elbmetropole, die sich seit den sechziger Jahren auch in Forschung und Technik international profilieren konnte. Physiker aus aller Welt pilgern zu DESY, dem Zentrum der deutschen Hochenergieforschung, und die Luft- und Raumfahrttechnik ist in Hamburg unter anderem durch eine Airbus-Werft vertreten.

Zu alledem läßt es sich angenehm leben im «grünen» Hamburg: Mehr als ein Drittel des Stadtstaates sind Wiesen, Äcker und Waldland. Und mitten in der Stadt kann man auf der Außenalster segeln oder in einer großzügigen Parklandschaft spazierengehen. Das Bild der City ist zwar vielerorten modern, doch erinnern zahlreiche Bauten an die Blütezeiten der reichen Kaufmannsstadt: Seien es die typischen Hamburger Kontorhäuser mit ihren Backsteinfassaden, die Speicherstadt am Hafen mit 330 000 Quadratmetern Lagerfläche oder die eleganten Villen an Elbchaussee und Alster.

■ Hamburg has a surface area of 295 square miles– including the two North Sea islands of Neuwerk and Scharhörn – and, with its 1.7 million inhabitants, is the second largest city in the Republic. The Free and Hanseatic City, as the city state is called, is situated on the Elbe, 69 miles above the river's North Sea estuary. The port, which celebrated its 800th birthday in 1989, is Germany's most important seaport. For a long time, however, Hamburg has been more than just a trading city. Industry and media conglomerates, banks and insurance companies have their headquarters in the metropolis on the Elbe, which since the 1960's has also made its mark internationally in the domains of research and technology. Physicists from all over the world pilgrim to DESY, Germany's high energy research centre; the space and aeronautical technologies are represented in Hamburg by, among others, an Airbus plant.

In addition to this, the living is easy in «green» Hamburg: one third of the city state is comprised of meadows, cultivated fields and woodlands. There is sailing in the city's centre on the Aussenalster, and strolling in a spacious parkland. The city's image is modern in many areas, yet numerous buildings evoke the heyday of the wealthy merchants' city: the typical Hamburg banking houses with their brick facades, the warehouse area at the port with a storage area of 3,484,800 square feet and the elegant villas on the Elbchausee and the Alster.

■ Hambourg couvre une superficie de 755 kilomètres carrés – y compris les îles de Neuwerk et Scharhörn en mer du Nord – et se place, avec environ 1,7 million d'habitants, au second rang des villes de République fédérale. La «ville libre hanséatique de Hambourg» est située sur l'Elbe, à 110 kilomètres avant l'embouchure du fleuve, dans la mer du Nord. Son port, qui a fêté en 1989 son 800e anniversaire, est le plus important d'Allemagne; les économistes prévoient même qu'il deviendra bientôt la principale porte de la RFA ouvrant sur le monde, et qu'il sera la plaque tournante du commerce extérieur européen.

Mais il y a longtemps qu'Hambourg n'est plus uniquement un port et une ville commerciale: de grands trusts industriels et médiatiques, ainsi que des banques et des compagnies d'assurance, y ont désormais établi leur siège social. Dans les années soixante, Hambourg est en outre devenue une technopole d'envergure internationale, grâce notamment à l'institut DESY– centre allemand de recherche sur les hautes énergies – et à diverses entreprises aéronautiques et astronautiques, dont Airbus Industries.

La vie est bien agréable à Hambourg, si riche en espaces verts: plus d'un tiers de la superficie de cette ville-État est en effet occupé par des prairies, des champs et des bois. À l'intérieur même de la ville, il est possible de se promener dans de vastes parcs et de faire de la voile sur le lac d'Aussenalster. Le centre-ville se compose certes d'immeubles en majorité modernes, mais le visiteur y trouvera encore de nombreux édifices rappelant l'âge d'or du Hambourg des riches marchands, parmi lesquels les vieux entrepôts du port ou encore les élégantes villas s'étirant le long de l'Alster et de l'Elbchaussée.

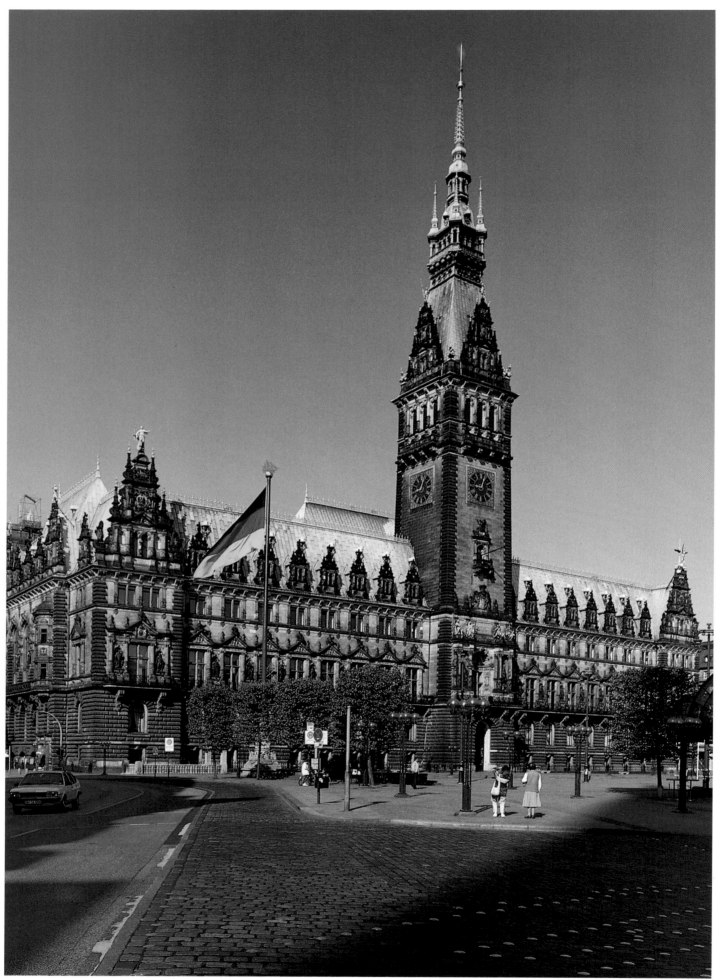

*er 1906 eingeweihte
uptbahnhof wurde
1988 durch eine
postmoderne Glas-
und Stahlkon-
struktion erweitert.*

*Hamburg's main
in station, inaugu-
rated in 1906, was
ended in 1988 by a
st-modern glass and
steel construction.*

*La gare centrale de
Hambourg, inau-
gurée en 1906. La
construction post-
moderne s'élevant
vant le hall d'entrée
date de 1988.*

*Hamburg hat über
2000 Brücken und
mit mehr als Vene-
dig. Hier die Neue
Elbbrücke.*

*Hamburg has over
2,000 bridges:
more than has
Venice. Here, the
new Elbe Bridge.*

*Le nouveau pont
sur l'Elbe. Il y a
plus de 2 000 ponts
à Hambourg, soit
plus qu'à Venise.*

75

Am Unterlauf der Weser, mitten im nördlichen Niedersachsen, liegt die Freie Hansestadt Bremen, Deutschlands zweitgrößter Seehafen. Zusammen mit dem knapp 60 Kilometer entfernten Bremerhaven bildet es das kleinste Bundesland, auf dessen Fläche von 404 Quadratkilometern rund 650 000 Menschen leben, davon allein in Bremen über eine halbe Million. Arbeitsplätze bieten ihnen unter anderem die bedeutende Automobil- und Luftfahrtindustrie sowie die Häfen, Schiffahrt und Seehandel.

Die Nähe des offenen Meeres und die Weser, deren langer Mündungstrichter den Schiffen sichere Ankerplätze bot, haben Bremens Geschichte seit jeher bestimmt. Von den glanzvollen Tagen als Bischofs- und Hansestadt zeugt noch heute der Marktplatz mit dem romanisch-gotischen Dom und dem gotischen Rathaus mit der prunkvollen Fassade im Stil der Weserrenaissance. Vor dem Rathaus ragt seit 1404 die fast zehn Meter hohe Steinfigur des Roland auf, ein Symbol bürgerlichen Selbstbewußtseins. Als Inbegriff Bremer Kultur gilt auch die Böttcherstraße, ehedem eine alte Handwerkergasse, die in den zwanziger Jahren zur schön restaurierten Museumszeile umgestaltet wurde. Kleinbürgerlichen Charme strahlt das gemütliche Schnoorviertel mit seinen Bauten aus dem 16. bis 19. Jahrhundert aus, während die englisch anmutenden Vorstadthäuser gediegene hanseatische Tradition verraten.

Bremerhaven ist eine junge Stadt. 1827 als Vorhafen Bremens angelegt, entwickelte es sich bald zum größten deutschen Auswandererhafen. Von der Columbuskaje legen zwar immer noch Passagierschiffe ab, doch liegt Bremerhavens Bedeutung heute im riesigen Container-Terminal und der Fischereiflotte.

In the centre of northern Lower Saxony lies the Free Hanseatic City of Bremen, Germany's second largest seaport. With Bremerhaven, it forms the smallest state, on the 158- square-mile surface of which live around 650,000 people, of whom half a million in Bremen alone. The important automotive and aeronautic industries are the main employers, as are the harbours, shipping and maritime commerce.

The proximity to the sea and the presence of the Weser, whose long estuary funnel provides safe anchorage for ships, have always determined Bremen's history. Its glorious days as bishop's see and Hanseatic city are evoked by the market square and its Romanesque-Gothic cathedral as well as the Gothic Town Hall with its resplendent Weser Renaissance facade. Since 1404, an almost 133-foot-high figure of Roland has towered in front of the Town Hall, a symbol of bourgeois self-assurance. Böttcherstraße is a former artisans' street that has been transformed into a museum area following careful restoration work in the 1920's. The Schnoor district radiates petty bourgeois charm, with its 16th to 19th century buildings, whereas the English-style suburban houses reveal the solid Hanseatic tradition.

Bremerhaven is a young city. Established in 1827 as Bremen's outer port, it soon developed into Germany's largest emigration harbour. Although passenger ships still dock at the Columbus Quay, Bremerhaven's importance today stems from the container terminal and the fishing fleet.

La «ville libre hanséatique» de Brême, le second port maritime d'Allemagne, est située sur le cours inférieur de la Weser, dans le nord de la Basse-Saxe. Avec Bremerhaven, distant de soixante kilomètres environ, Brême constitue le Land le plus petit de République fédérale, puisqu'il ne couvre que 404 kilomètres carrés. Le Land compte quelque 650 000 habitants, dont plus d'un demi-million dans la ville de Brême. Les Brêmois sont pour la plupart employés dans l'industrie automobile et aéronautique, dans les activités portuaires, dans la navigation et dans la marine marchande.

L'histoire de Brême a de tout temps été déterminée par la mer et la Weser, dont le long estuaire offrait un mouillage sûr aux bateaux. La place du Marché, dominée par la cathédrale romane et gothique ainsi que par l'hôtel de ville Renaissance, témoigne encore de la gloire de Brême lorsqu'elle était ville épiscopale et hanséatique. Devant l'hôtel de ville s'élève depuis 1404 une statue en pierre de Roland haute d'une dizaine de mètres, symbolisant la force de la bourgeoisie locale. La Böttcherstrasse, une ruelle où s'alignaient autrefois des échoppes d'artisans et qui fut transformée en musée dans les années vingt, est un autre haut lieu de la culture à Brême. Il émane par ailleurs un charme bourgeois du quartier de Schnoor, construit entre le XVIe et le XIXe siècle, alors que les pavillons de banlieue, à l'allure un peu anglaise, sont ancrés dans une tradition hanséatique de bon aloi. Bremerhaven est une ville jeune. Fondée en 1827 pour servir d'avant-port à Brême, elle devint bientôt le plus important des ports d'émigration allemands. C'est désormais un port de pêche, ainsi qu'un gigantesque port de conteneurs.

Jeden Samstag find
an der Weser ein
Flohmarkt statt
(oben). Zur Stär-
kung gibt es dort
eine «Matjes-Stulle
Brot mit jungem
Heringsfilet (unten,

A flea market is hel
every Saturday on
the Weser (top). For
restauration, there
is «Matjes Stulle»,
bread with young
herring fillets
(bottom).

Un marché aux pue
se tient tous les sam
dis sur les bords de l
Weser (en haut). O
peut y déguster une
«Matjes Stulle», pe
pain garni d'un file
de hareng (en bas).

Vorangehende Dop
pelseite: Das Ratha
in Bremen mit der
steinernen Skulptu
des Roland
(links im Bild).

Previus double pag
Bremens Town Ha
with the stone
sculpture of Roland
(left in the picture).

Double page précé-
dente: l'hôtel de vill
de Brême et la statu
en pierre de Roland
gauche sur la photo.

Blick von der Stepha-
nibrücke zur Bürger-
meister-Smidt-Brücke
und auf die Bremer
Altstadt. Im Hinter-
grund die erst Ende
des 19. Jahrhunderts
errichteten Türme des
St.-Petri-Doms.

*View from the
Stephani Bridge of the
Bürgermeister Smidt
Bridge and the old
part of the city. In the
background are the
towers of St. Peter's
Cathedral, erected
towards the end of
the 19th century.*

*La vieille ville et le
pont Bürgermeister-
Smidt-Brücke, vus du
pont Stefanibrücke. À
l'arrière-plan s'élèvent
les tours de la ca-
thédrale St Pierre,
érigées seulement à la
fin du XIXᵉ siècle.*

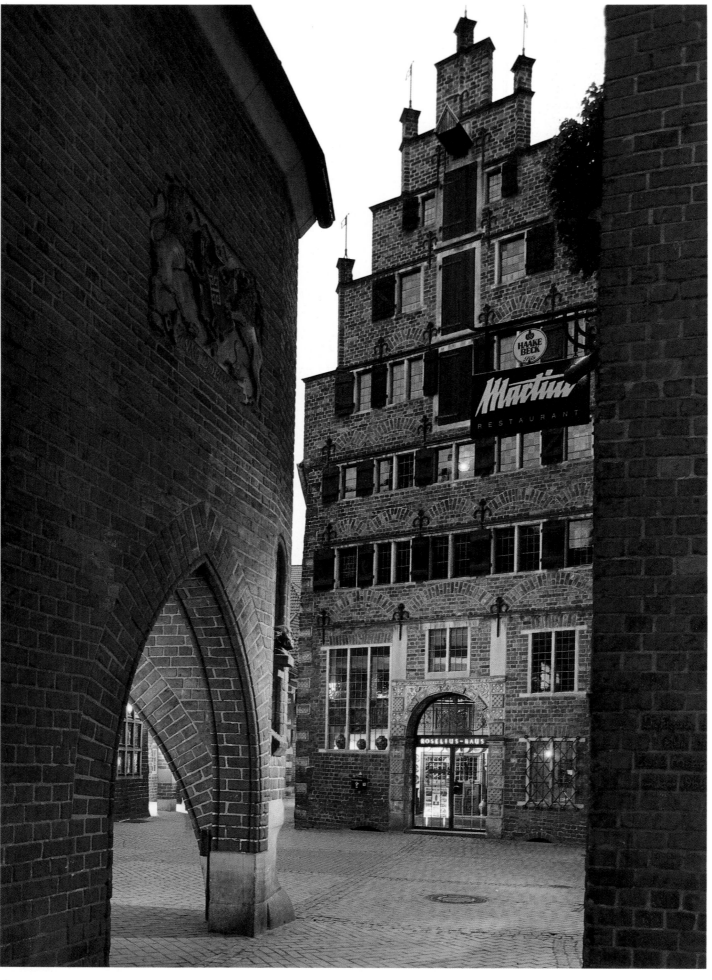

Der Kaufmann Luwig Roselius war de
Besitzer dieses Hau
in der Böttcherstraß
die er in den zwanzi
ger Jahren von nam
haften Architekten
restaurieren und ne
gestalten ließ. Das
Roselius-Haus, heu
ein Museum, stamm
aus dem Jahr 1588.

The merchant Ludw
Roselius was the
owner of this house
Böttcher Street. In t
1920's, Roselius ha
this street restored a
redesigned by
renowned architects
The Roselius House
today a museum,
dates from 1588.

Cette maison de la
Böttcherstrasse cons
truite en 1588, app
tenait autrefois au
marchand Ludwig
Roselius. Restaurée
réaménagée dans le
années vingt par de
architectes célèbres,
elle abrite aujourd'h
un musée.

90

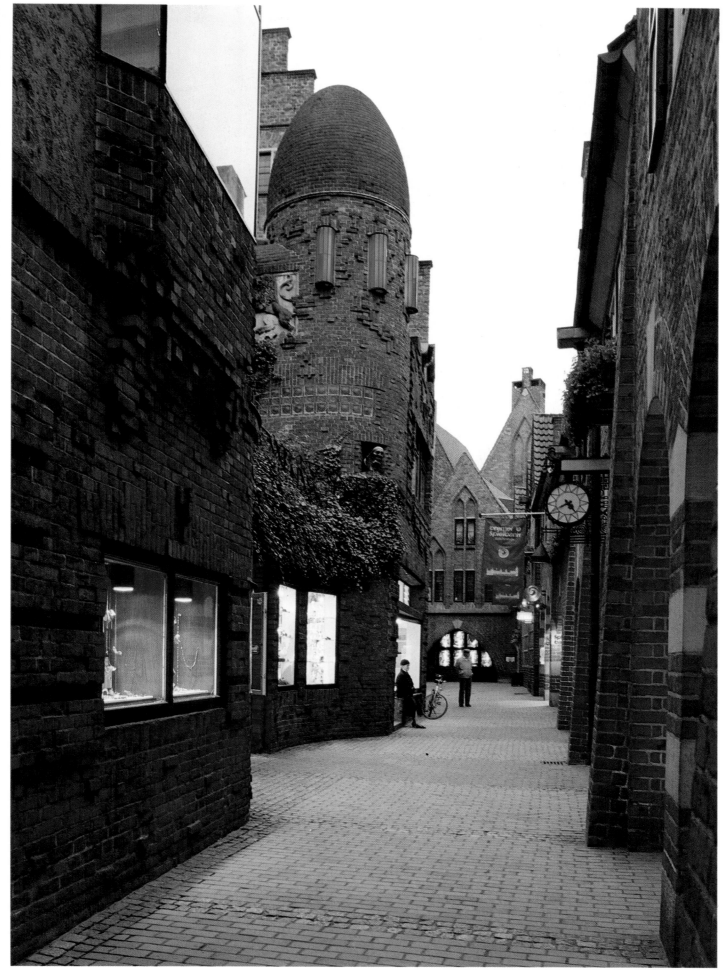

In der Böttcherstraße:
Das Paula-Moder-
sohn-Becker-Haus
(links) zeigt Werke
der Worpsweder
Malerin. Rechts die
Bremer Spielbank.

In Böttcher Street:
The Paula Moder-
sohn Becker House
(left) displays works
by the Worpswede
artist. The Bremen
casino on the right.

Vue de la Böttcher-
strasse: à gauche,
la maison Paula-
Modersohn-Becker,
où sont exposés des
tableaux de cette
artiste qui vécut à
Worpswede; à droite,
le casino de Brême.

Folgende Doppelseite:
In den Vorstädten
Bremens findet man
schön renovierte
Bürgerhäuser aus
dem 19. Jahrhundert.

Following double
page: Attractively
restored 19th century
town houses can
be found in
Bremen's suburb.

Double page sui-
vante: façades réno-
vées de maison bour-
geoises construites au
XIXᵉ siècle dans les
faubourgs de Brême.

91

Niedersachsen
Lower Saxony
Basse-Saxe

0   20 km

NORDSEE

SCHLESWIG-HOLSTEIN

Nationalpark Niedersächsisches Wattenmeer

BALTRUM   SPIEKEROOG
NORDERNEY   WANGEROOGE
LANGEOOG
BORKUM   JUIST

Cuxhaven

Norden   Dornum
Jever   **Wilhelmshaven**
Greetsiel   Aurich   Schortens   Norden-ham
Emden

Hemmoor
Stade
Bremerhaven
Bremer-vörde
Buxte-hude

Hamburg

Lauen-burg

Buchholz
Lüneburg   Scharnebeck
Elbe

Leer
Bad Zwischenahn
Papen-burg   **Oldenburg**
Delmen-horst
Worpswede
Rotenburg
Lüneburger
Münster
Hitzacker
Dannenberg
Schnackenbu

NIEDER-LANDE

Ems   Der Hümmling
Cloppenburg
Sögel
Lastrup   Vechta
Meppen   Haselünne
Lingen   Fürstenau
Nordhorn

Naturpark Wildeshauser Geest

Bremen
Verden
Walsrode
Soltau
Bergen
Naturpark Südheide
Heide
Uelzen

Bassum
Sulingen
Diepholz   Dümmer
Nienburg
Stolzenau
Rehburg-
Neustadt
Celle   Wienhausen
Aller
Gifhorn
Wolfs-burg
SACHSEN-

Naturpark Nördlicher Teutoburger Wald
Natur-park Dümmer

Leine
Steinhuder Meer
Loccum
Stadt-hagen
Wunstorf
Garbsen
Langenhagen
Burgdorf

Osnabrück
Wiehengebirge
Melle
Bückeburg
Barsing-hausen
Springe
Hannover
Lehrte
Peine
Braunschweig
Königslutter
Elm-Lappwald
Helm-stedt

Enschede
Bielefeld

Georgs-marienhütte
Rinteln
Nordstemmen
Marien-burg
Hameln
Hämelschen-burg
Hildesheim
Alfeld
Salzgitter
Wolfenbüttel
Hornburg
ANHALT

Münster
Paderborn

Weserbergland

Bad Pyrmont
Bad Gandersheim
Einbeck
Bad Harzburg
Goslar
Clausthal-Zellerfeld
H   a   r   z
Northeim   Osterode
Solling-Vogler
Fürsten-berg
Göttingen
Herz-berg
Walkenried
Duder-stadt

NORDRHEIN-WESTFALEN

Münden
Kassel
Naturpark Münden

HESSEN

THÜRINGEN

Mittellandkanal
Mittellandkanal

Ems

Elbe

Weser

Weser

Aller

Alles Land

■ Niedersachsen ist mit einer Fläche von 47 343 Quadratkilometern das zweitgrößte Land der Bundesrepublik und sicherlich eines seiner vielgestaltigsten: Von den Dünen der Ostfriesischen Inseln zu den fruchtbaren Marschen der Nordseeküste und der Flußauen von Ems, Weser und Leine, von den flachen Heide- und Moorgebieten im Binnenland bis zu den waldreichen Höhen des Harz.

Abgesehen von Deutschlands größtem Erdölhafen Wilhelmshaven und der einstigen Herzogresidenz Oldenburg konzentrieren sich Industrie und Wirtschaft vorwiegend im Osten des Bundeslandes: In der Landeshauptstadt Hannover, wo alljährlich die größte Industriemesse der Welt stattfindet – und bald auch die EXPO 2000; in der Automobilstadt Wolfsburg, in Braunschweig und im Schwerindustriegebiet von Salzgitter. Eine zentrale Verkehrsader dieser Region ist der Mittellandkanal zwischen Elbe und Ems, der auch die alte Bischofs- und Hansestadt Osnabrück wirtschaftlich anbindet.

Weite Teile des mit rund 7,5 Millionen relativ dünn besiedelten Bundeslandes sind Agrarflächen. Daneben hat Niedersachsen jedoch auch ursprüngliche Landschaften zu bieten, wie die Naturparks Lüneburger Heide und Niedersächsisches Wattenmeer. Ein reizvolles Ferienziel ist das romantische Weserbergland zwischen Münden und Minden, wo man auch schöne Beispiele der Weserrenaissance findet. Für Liebhaber mittelalterlicher Architektur sind die Dome von Hildesheim, Braunschweig und Königslutter oder die malerische Altstadt von Göttingen ein Muß. Ein Meilenstein in der Geschichte der modernen Kunst war hingegen die 1889 gegründete Künstlerkolonie von Worpswede bei Bremen.

■ Lower Saxony, with its surface area of 18,500 square miles, is the second largest German state, and certainly it is one of the most varied: from the East Frisian Islands dunes to the marshes of the North Sea coast, and the fertile river plains of the Ems, Weser and Leine, from the flat heather and moor area to the wooded heights of the Harz Mountains. Excluding Germany's largest oil port of Wilhelmshaven and the former ducal residence of Oldenburg, industry and finance are largely concentrated in the state's east: in the state capital of Hanover, where the world's largest industrial trade fair is held annually, and soon EXPO 2000; in the automotive city of Wolfsburg; in Brunswick; and in the heavy industry region of Salzgitter. The Mittellandkanal between the Elbe and the Ems is a major traffic artery; it also integrates economically the former bishop's see and Hanseatic city of Osnabrück.

Much of the state, relatively sparsely populated with its 7.5 million inhabitants, is agrarian. And yet, Lower Saxony also offers untouched landscapes, such as the nature parks of Lüneburg Heath, and the Lower Saxon shallows. A charming holiday destination is the romantic Weser upland between Münden and Minden with its lovely examples of the Weser Renaissance. For admirers of medieval architecture, the cathedrals of Hildesheim, Braunschweig and Königslutter and the old town of Göttingen are a must. A milestone in the history of modern art was the artists' colony of Worpswede, founded in 1889.

■ S'étendant sur 47 343 kilomètres carrés, la Basse-Saxe occupe le second rang des Länder de République fédérale par la superficie, et présente une grande variété de paysages: dunes des îles de Frise orientale, terres fertiles du littoral de la mer du Nord, prairies des bords de l'Ems, de la Weser et de la Leine, landes et marais de l'intérieur des terres, collines boisées du Harz.

Wilhelmshaven, le plus grand port pétrolier d'Allemagne, et la ville d'Oldenbourg, ancienne résidence ducale, sont les seuls centres véritablement développés de l'ouest du Land, l'activité économique se concentrant en effet à l'est: autour d'Hanovre, la capitale, où a lieu tous les ans la plus grande foire industrielle du monde et où sera organisée l'Exposition universelle de l'an 2000; à Wolfsburg, la ville de l'automobile; ainsi qu'à Brunswick et à Salzgitter, centre de l'industrie lourde. Le Mittellandkanal, qui relie l'Elbe à l'Ems et passe par Osnabrück, ancienne ville épiscopale et hanséatique, est une des principales voies de communication du Land.

La Basse-Saxe est faiblement peuplée (environ 7,5 millions d'habitants) et de grandes étendues y sont réservées à l'agriculture. Plusieurs parcs naturels y ont été aménagés, comme le parc de la lande de Lüneburg et celui du littoral de la mer des Wadden. Le Weserbergland, entre Münden et Minden, est un pays de collines romantiques parsemées de jolis châteaux Renaissance. Les cathédrales d'Hildesheim, Brunswick et Königslutter, ainsi que la vieille ville de Göttingen, fournissent de beaux exemples d'architecture médiévale. Quant à l'art moderne, il a eu ses heures de gloire à Worpswede, près de Brême.

Typisches Altländer
Bauernhaus mit
weißgestrichenem
achwerk. Das größte
Obstanbaugebiet
Norddeutschlands
wurde im 3. Jahr-
hundert besiedelt.

Typical Altland
rmhouse with white
ainted half-timbers.
The largest fruit
growing area in
North Germany was
ettled as early as the
third century.

Maison paysanne de
l'Altes Land, aux
olombages peints en
lanc. Le peuplement
de cette région frui-
tière, la plus grande
d'Allemagne du
Nord, remonte
au IIIe siècle.

Das Schützenfest in Hannover wird seit über 450 Jahren gefeiert und gilt heute als das größte der Welt. Parade in der Altstadt, im Hintergrund der Marktplatz.

The Marksman's Fair in Hanover ha been celebrated for over 450 years and is thought to be the largest of its sort in t world. Parade in the old town, with a vie of the market square

Parade dans la vieil ville de Hanovre à l'occasion de la fête l cale, le «Schützenfes que l'on célèbre depr plus de 450 ans. À l'arriere-plan apparaît la place du Marché.

Das Ernst-August-Denkmal am Bahnhof von Hannover. Der König regierte die Stadt von 1837 bis 1851.

The Ernst August monument in front of Hanover's train station. The king ruled Hanover from 1837 to 1851.

Monument du roi Ernest-Auguste devant la gare de Hanovre. Ce souvein régna sur la ville de 1837 à 1851.

as Alte Rathaus mit m gotischen Staffel-iebel erinnert an das adtbild Hannovers r der Zerstörung im Zweiten Weltkrieg.

The Old Town Hall th Gothic step gables evokes Hanover's image before it was destroyed in the Second World War.

Pignon à créneaux gothique de l'ancien hôtel de ville de Hanovre, évoquant l'aspect de la ville avant la Seconde Guerre mondiale.

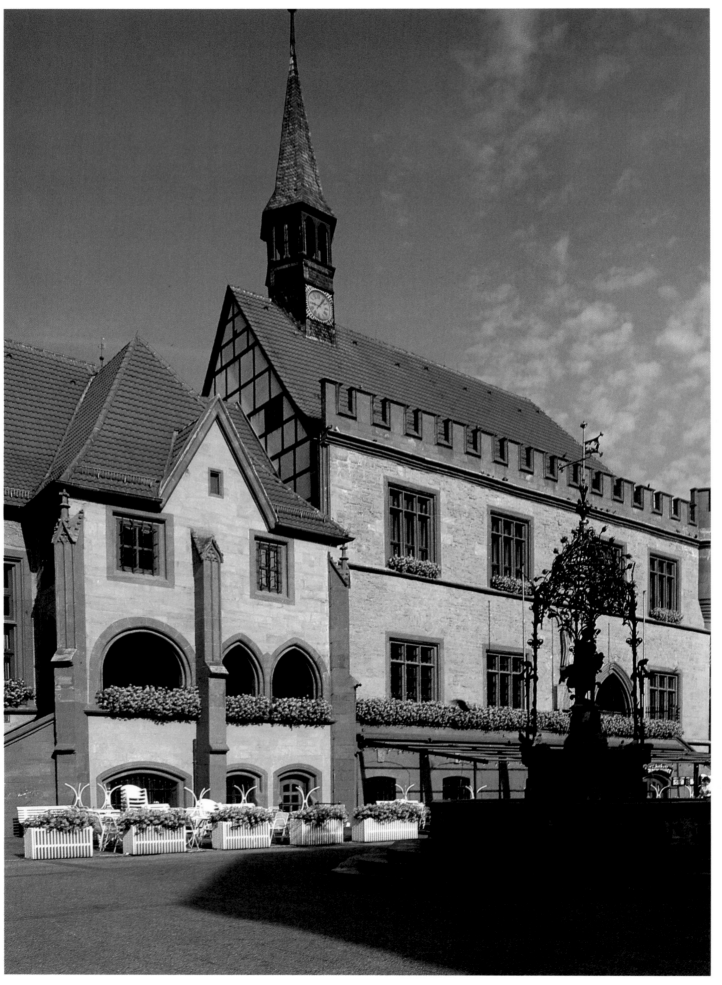

Das Alte Rathaus
am Marktplatz von
Göttingen (1403 vo..
endet) mit dem 190..
aufgestellten Gänse-
lieselbrunnen, einem
Werk des Jugendstils

The Old Town Hall
on Göttingen's mar-
ket square (complete.
in 1403), with the
Gänseliesel Well,
erected in 1901, an
art nouveau work.

L'ancien hôtel de
ville sur la place du
Marché de Göttinge..
terminé en 1403.
La fontaine de style
Art nouveau fut
construite en 1901.

Vorangehende Dop-
pelseite: Die gotische
Marktkirche in
Hannover wurde
nach dem Zweiten
Weltkrieg original-
getreu rekonstruiert.

Previous double pag.
The Gothic Market
Church in Hanover,
destroyed during the
Second World War,
was rebuilt in the
original style.

Double page précé-
dente: l'église gothiq.
du Marché, à
Hanovre, fut recons-
truite après la Secon.
Guerre mondiale.

Die Ursprünge des romanisch-gotischen St.-Petrus-Doms in Osnabrück reichen bis ins 11. Jahrhundert zurück.

The origins of the Romanesque-Gothic St. Peter's Cathedral can be traced back to the 11th century.

Pierre, la cathédrale d'Osnabrück. La construction de cet édifice de style à la fois roman et gothique débuta au XIᵉ siècle.

Das Münster von Bad Gandersheim wurde im 11. Jahrhundert erbaut, die charakteristischen achteckigen Türme wahrscheinlich erst 400 Jahre später.

The Minster in Bad Gandersheim was built in the 11th century; its characteristic octagonal towers were probably not built until some 400 years later.

La cathédrale de Bad Gandersheim, près de Göttingen. L'édifice date du XIᵉ siècle, les tours octogonales qui le caractérisent ne furent erigées que 400 ans plus tard.

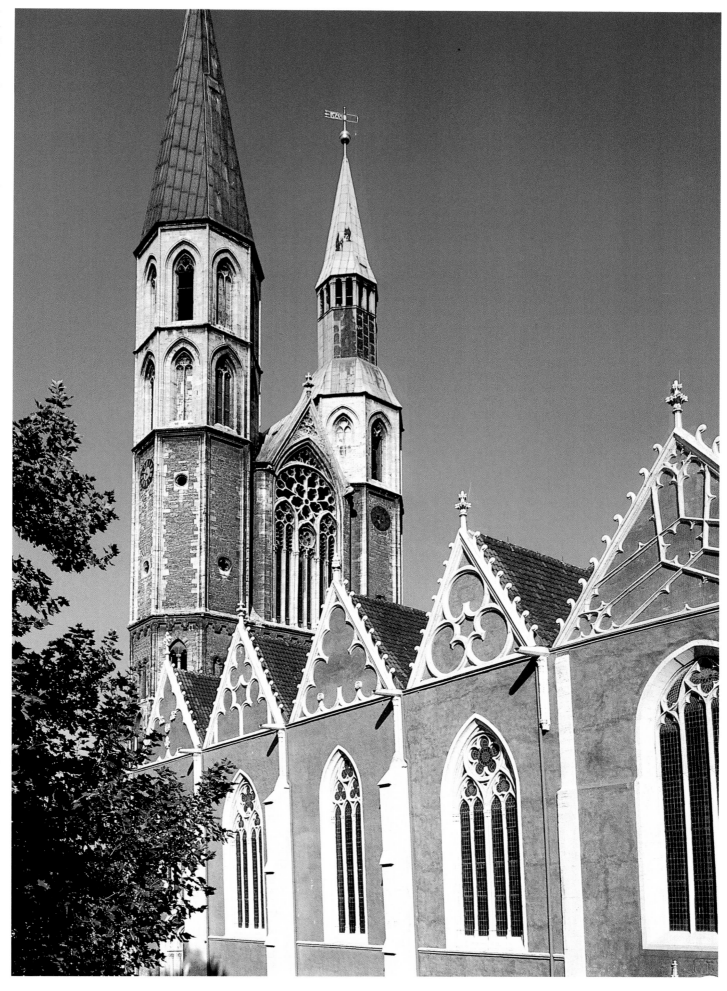

Katharinenkirche in Braunschweig wurde um 1200 rbaut und Ende des 3. Jahrhunderts in e Hallenkirche mit tischen Stilelemen-ten umgewandelt.

Catherine Church n Brunswick, built in 1200, was con-verted at the end of the 13th century into a hall church th Gothic elements.

ainte-Catherine de Brunswick. Cons-uite vers l'an 1200, elle fut trans-formée à la fin du IIIᵉ siècle en église-halle et agrémentée éléments gothiques.

gende Doppelseite: e Fachwerkhäuser es 1945 zerstörten Marktplatzes von ildesheim wurden s 1990 originalge-treu rekonstruiert.

Following double age: The half-tim-bered houses along e market square of desheim, destroyed n 1945, were com-letely rebuilt in the inal style in 1990.

Double page sui-vante: maisons à colombages de la place du Marché d'Hildesheim. Dé-uites en 1945, elles nt reconstruites en 90, conformément à l'original.

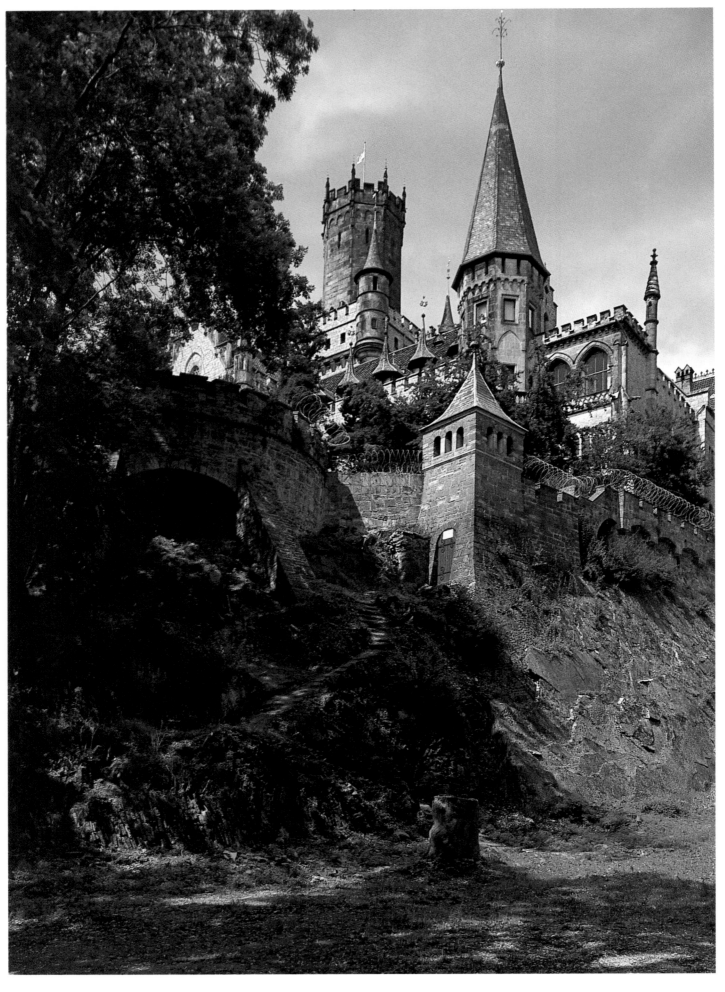

Die Marienburg wacht auf einem schroffen Felsen über das Leinetal be[i] Hildesheim. Obwoh[l] sie mittelalterlich anmutet, stammt die Burg aus dem 19. Jahrhundert.

Atop a sheer cliff, th[e] Marienburg keeps watch over the Leine Valley near Hildesheim. Althou[gh] it appears to be med[i]eval, the castle dates from the 19th centur[y].

Près d'Hildesheim s[e] dresse le château de Marienburg qui domine la Leine. Bien que son aspect évoqu[e] le Moyen Âge, ce châ[-]teau ne fut construit qu'au XIX[e] siècle.

Oben: Im Spätsommer blüht das Heidekraut in der Lünerger Heide. Unten: Landschaft an der Leine im südlichen Niedersachsen.

Top: Late summer heather blooms on the Lüneburg Heath. Bottom: Landscape of the Leine in southern Lower Saxony.

Ci-dessus: bruyère dans la lande de Lüneburg, à la fin de l'été. Ci-dessous: paysage de la vallée de la Leine, dans le sud de la Basse-Saxe.

Folgende Doppelseite: Der Marktplatz von Goslar mit dem spätgotischen Rathaus (links) und dem Marktbrunnen aus dem 13. Jahrhundert.

Following double page: The Market Square in Goslar showing the Late Gothik Town Hall (left) and the 13th century Market Well.

Double page suivante: la place du Marché de Goslar avec son hôtel de ville gothique (à gauche) et sa fontaine du XIIIᵉ siècle.

115

■ Sachsen-Anhalt
□ Saxony-Anhalt
■ Saxe-Anhalt

Das 1990 entstandene Bundesland Sachsen-Anhalt hat keine einheitliche Territorialgeschichte, und dennoch leben seine 2,8 Millionen Einwohner auf ausgesprochen geschichtsträchtigem Boden. Im Mittelalter war hier 300 Jahre lang ein Zentrum europäischer Politik und Kultur, waren die heutige Landeshauptstadt Magdeburg, Quedlinburg und Merseburg Pfalzen der ersten deutschen Könige und Kaiser. Daneben zeigen Halle, heute die größte Stadt des Bundeslandes, die alten Hansestädte Stendal, Tangermünde oder Salzwedel, die Domstadt Naumburg oder malerische Fachwerkstädte wie Wernigerode das Aufblühen von bürgerlicher Kultur und Handel. Mit der Reformation und Martin Luther, der an der Wittenberger Universität als Professor wirkte, gewann das Gebiet des heutigen Sachsen-Anhalt weltgeschichtliche Bedeutung. Bis in unsere Zeit setzt das 1933 aufgelöste Bauhaus von Dessau, Deutschlands berühmteste Hochschule für Architektur und angewandte Kunst, Maßstäbe in Kunst und Design.

Sachsen-Anhalt vereinigt auf seinem Territorium von 20445 Quadrakilometern verschiedenartigste Landschaften: Das Spektrum reicht von der Altmark im Norden des Landes zu den sanftwelligen Ebenen der Magdeburger Börde, von den Flußauen von Elbe, Mulde und Saale bis zum Harz. Während die fruchtbaren Böden im Norden des Landes überwiegend landwirtschaftlich genutzt werden, ist der Süden traditionell ein bedeutendes Bergbau- und Industriegebiet. Keine Naturlandschaft, sondern ein Landschaftskunstwerk von europäischem Rang ist der idyllische Park von Schloß Wörlitz bei Coswig, der im 18. Jahrhundert im Stil englischer Gärten angelegt wurde.

The State of Saxony-Anhalt has no homogenous territorial history, and yet its 2.8 million inhabitants live on strongly marked historical land. In the Middle Ages, this was a centre of European politics, for Magdeburg, today the state capital, as well as Quedlinburg and Merseburg were palatinates of the first German kings and emperors. In addition, cities such as Halle, the largest city in the state today, the old Hanseatic towns of Stendal, Tangermünde and Salzwedel, the cathedral town of Naumburg and the picturesque half-timbered towns such as Wernigerode display the prosperity of culture and trade. With the Reformation and Luther, who was a professor at Wittenberg University, the region of what is today Saxony-Anhalt achieved its rank in history. Germany's most renowned school for architecture and applied arts, dissolved in 1933, the Bauhaus of Dessau, has set the standards for art and design, until today.

Saxony-Anhalt combines in its territory of 8,000 square miles many varied landscapes, ranging from the Altmark in the north of the state to the flat and fertile Magdeburg plain, from the Elbe, Mulde and Saale river meadows to the Harz. While the fertile lands in the north of the state are predominately agricultural, the south is traditionally an important mining and industrial area. The castle of Wörlitz near Coswig, set out as an English garden in the 18th century, is not a natural landscape, but rather a landscaped work of art of European rank.

Le Land de Saxe-Anhalt, peuplé de 2,8 millions d'habitants, a été créé en 1990. Bien que ce ne soit pas une entité historique, le Land n'en est pas moins pour autant riche de son passé: Quedlinburg, Merseburg et Magdeburg, l'actuelle capitale, étaient au Moyen Âge les fiefs des premiers rois et empereurs germaniques et la région fut durant trois cent ans un des centres de la vie politique et culturelle européenne. Par ailleurs, le commerce et la culture bourgeoise s'épanouirent dans des villes comme Halle, aujourd'hui la plus grande agglomération du Land, Stendal, Tangermünde et Salzwedel – qui firent partie de la Hanse –, Naumburg, célèbre pour sa cathédrale, ou encore Wernigerode, pittoresque avec ses nombreuses maisons à colombages.

Le territoire de l'actuelle Saxe-Anhalt influa par la suite sur le cours de l'histoire, à l'époque de la Réforme, lorsque Martin Luther enseignait à l'université de Wittenberg. Quant au Bauhaus de Dessau, dissous en 1933, il a élaboré des concepts en matière d'art, d'architecture et d'arts appliqués qui continuent à être valables aujourd'hui.

Sur une superficie de 20445 kilomètres carrés, la Saxe-Anhalt présente les paysages les plus variés: Vieille Marche au nord, plaine ondoyante autour de Magdeburg, prairies des bords de l'Elbe, de la Mulde et de la Saale, massif du Harz. Alors que les bonnes terres du nord sont principalement consacrées à l'agriculture, l'industrie se concentre traditionnellement au sud. Quant au parc du château de Wörlitz près de Coswig, aménagé à l'anglaise au XVIIIᵉ siècle, c'est un chef-d'œuvre de l'art paysager.

*Oben: Im Museum
der Glockengießer-
stadt Laucha. Unte
Im Café des Neuen
Theaters in Halle.*

Top: In the museun
of the bell casting ci
of Laucha. Bottom
Cafe of the Neues
Theater in Halle.

*Ci-dessus: musée d
Laucha, ville célèb
pour ses fondeurs d
cloches. Ci-dessous
café du Nouveau
Théâtre de Halle.*

*Vorangehende Dop
pelseite: Blick über
den Marktplatz vc
Wittenberg mit der
Statuen von Mart
Luther und Philipp
Melanchthon.*

Previous double pa
View of the market
square of Wittenbe
with statues of
Martin Luther an
Philipp Melanchth

*Double page précé-
dente: statues des
réformateurs
Martin Luther et
Philipp Melanchth
sur la place du Ma
ché de Wittenberg.*

Wahrzeichen des
1064 eingeweihten
Doms in Naumburg
und seine vier Türme.
Auf den romanischen
Osttürmen sitzen
barocke Hauben, die
Westtürme wurden
erst im 19. Jahrhun-
dert vollendet.

The emblem of the
Naumburg Cathe-
dral, consecrated in
1604, is its four
towers. On the
Romanesque east
towers are baroque
cupulae. The west
towers were not
completed until the
19th century.

La cathédrale de
Naumburg, consacrée
1064, se caractérise
par ses quatre tours.
Celles de la façade est,
de style roman, sont
coiffées de coupoles ba-
roques; celles de l'ouest
ne furent achevées
qu'au XIXᵉ siècle.

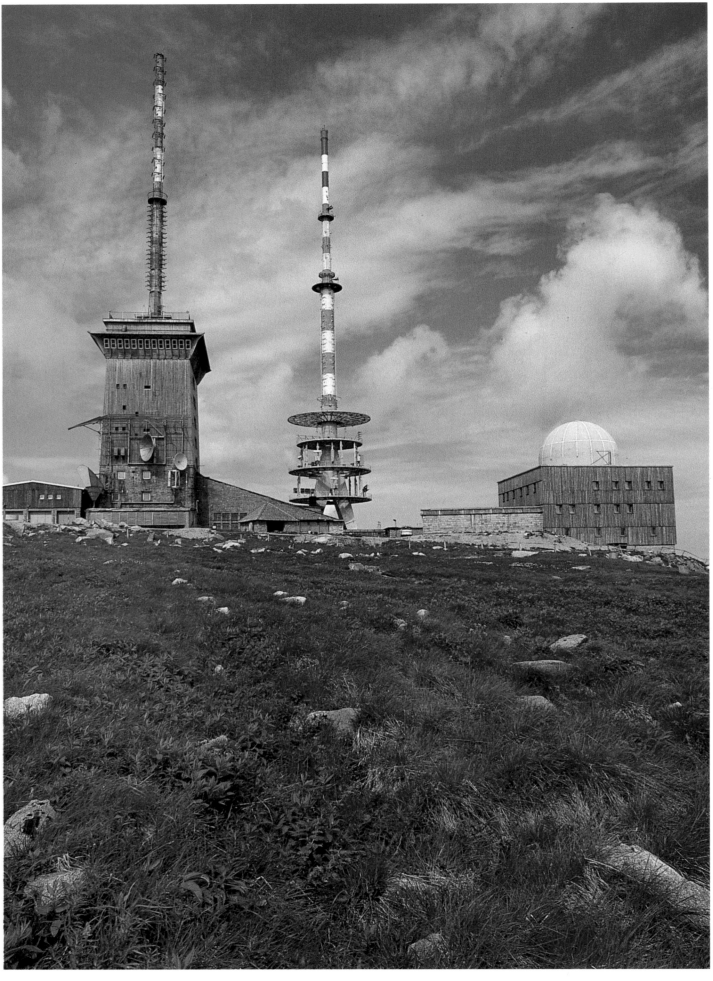

Auf dem 1142 Met[...]
hohen Brocken im
Harz wurden
während des Kalten
Krieges komplizierte
Funk- und Abhöra[...]
lagen eingerichtet, a[...]
seit der Wiederverer[...]
nigung nur noch tei[...]
weise und auch dan[...]
nur für zivile Zwec[...]
genutzt werden.

On the 3,710-foot-
high Brocken in the
Harz, complicated
radio and monitori[...]
devices were erected
during the cold war[...]
Since reunification,
these devices have o[...]
been partially used,
and then simply for
civil purposes.

Des émetteurs et des
dispositifs d'écoute
complexes furent in[...]
tallés au sommet du
Brocken (1142 m)
pendant la guerre fr[...]
de. Depuis la réuni[...]
cation, ces installa-
tions ne sont plus q[...]
partiellement utilise[...]
et ce, uniquement à
des fins civiles.

Vom Gipfel des Brocken, dem höchsten Berg im Harz, bietet sich ein großartiges Panorama.

From the Brocken peak, the highest mountain in the Harz, there is a magnificent panorama.

Depuis le sommet du Brocken, le point culminant du Harz, on découvre un panorama impressionnant.

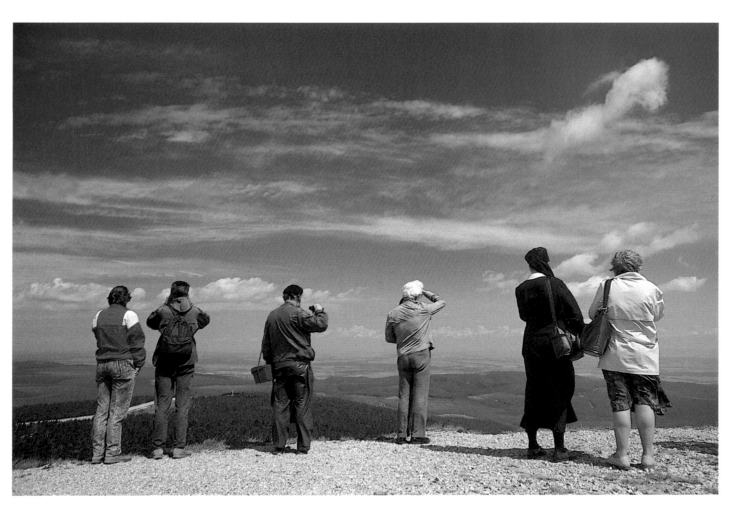

An klaren Tagen sieht man weit in die Ebene zu Füßen des Brocken und hat einen Rundblick von Magdeburg bis Hildesheim.

On clear days one can see far over the plains to the foot of the Brocken, and indeed sometimes there is a panorama from Magdeburg to Hildesheim.

Par temps clair, il est possible d'apercevoir la plaine qui s'étend entre Magdebourg et Hildesheim.

Innenraum des gotischen Doms von Magdeburg, an der bis zu seiner Vollendung im Jahr 1520 über 300 Jahre lang gebaut wurde.

Under construction for more than 300 years, the interior of Magdeburg's Gothic Cathedral was completed in 1520.

Intérieur de la cathédrale de Magdebourg. La construction de cet édifice gothique s'étira sur trois siècles et ne fut achevée qu'en 1520.

Vorangehende Seiten: Blick auf Halle, die größte Stadt in Sachsen-Anhalt.

Previous double page: View of Halle, the biggest city in Saxony-Anhalt.

Double page précédente: vue de Halle, plus grande ville de la Saxe-Anhalt.

Das Kloster Unser Lieben Frau in Magdeburg ist eines *r bedeutendsten ro- nischen Bauwerke eutschlands. Seine ältesten Teile gehen f das 11. Jahrhun- dert zurück. Heute ent der Kreuzgang als Konzertsaal.

*he Cloister of Our ady in Magdeburg is one of the most mportant Roman- esque buildings in Germany. Its oldest parts can be traced back to the 11th century. Today, the cloister es as a concert hall.

Notre-Dame de Magdebourg, dont la partie la plus ancienne date du XIᵉ siècle, est l'un des principaux édifices romans d'Allemagne. Au- *r d'hui, des concerts *t donnés régulière- *nent dans le cloître.

ötze, ein kleiner Ort
n der Altmark, hat
ch seinen dörflichen
Charakter bewahrt.

Klötze, a small town
in the Altmark, has
retained its rustic
village character.

Klötze, un petit vil-
age de l'Altmark, a
su conserver son
caractère rustique.

lgende Doppelseite:
ie Havel bei Havel-
berg, kurz vor ihrer
indung in die Elbe.
avelberg besitzt seit
m 12. Jahrhundert
die Stadtrechte.

Following double
ge: The Havel near
avelberg, just before
it joins the Elbe.
Havelberg has had
unicipal rights since
the 12th century.

Double page sui-
ante: la Havel près
de Havelberg, peu
vant qu'elle ne con-
flue avec l'Elbe.
Havelberg fut dotée
d'une charte dès le
XII siècle.

131

Brandenburg
Brandenburg
Brandebourg

MECKLENBURG-VORPOMMERN

0   20 km

Mecklenburger Seenplatte

Plau
Plauer See
Müritz
Neustrelitz
Boitzen-burg
Prenzlau
Fürsten-berg
Ravensbrück
Stolpsee
Großer Stechlin
Templin
Uckermark
Wittstock
Pritzwalk
Perle-berg
Löcknitz
Rheinsberger See
Rheinsberg
Mündesee
Anger-münde
Stolpe
Dosse
Ruppiner Schweiz
Gransee
Gudelacksee
Gransee
Zehdenick
Gellmersdorf
Wittenberge
Bad Wilsnack
Kyritz
Altruppin
Neuruppin
Schorfheide
Chorin
Prignitz
Werbellin-see
Nieder-finow
Bad Freienwalde
POLEN
Elbe
Neustadt
Havelberg
Havel
Fehrbellin
Ruppiner See
Finow
Ebers-walde-
Biesenthal
Oder
Oderbruch
Rhinkanal
Oder-Havel-Kanal
Sachsenhausen
Bernau
Wriezen
Stendal
Gülper See
Alter Rhin
Ruppiner Kanal
Oranien-burg
Barnim
Werneuchen
Kostrzyn (Küstrin)
Ribbeck
Hohenauener See
Havel-kanal
Nauen
Strausberg
Märkische Schweiz
Buckow
Rathenow
Havel-ländisches
Falken-see
Schermützel-see
Tangermünde
Premnitz
Luch
Beetz-see
Trebel-see
Berlin
Rüders-dorf
Müncheberg
Brandenburg
Havel
Großer Müggelsee
Woltersdorf
Lebus
Frankfurt a. d. Oder
Plaue
Breitling-see
Potsdam
Erkner
Fürstenwalde
Berliner Urstromtal
Oder
Genthin
Plauer See
Werder
Ludwigs-felde
Rauen
Bad Saarow-
Spree
Oder-Spree-Kanal
Ziesar
Lehnin
Königs Wusterhausen
Pieskow
Eisenhütten-stadt
Zauche
Beelitz
Mitten-walde
Wendisch Rietz
Beeskow
Oder (Odra)
Belzig
Blanken-see
Neuendorfer See
Kossenblatt
Neuzelle
Wiesen-burg
Treuen-brietzen
Nuthe
Baruther Urstromtal
Luckenwalde
Spree
Schwieloch-see
Schwarzer Berg ▲ 123
Guben
SACHSEN-ANHALT
Raben
Baruth
Golßen
Spreewald
Gub
Magdeburg
Hoher Fläming
Jüterbog
Kloster Zinna
Sellendorf
Lübben
Schenkendorf
Niederer Fläming
Luckau
Lübbenau
Peitz
Lutherstadt Wittenberg
Elbe
Wiepers-dorf
Dahme
Vetschau
Neiße
Saale
Herzberg
Niederlausitz
Cottbus
Dessau
Doberlug-Kirchhain
Finster-walde
Groß-räschen
Calau
Spremberg
Welzow
Bad Düben
Torgau
Falken-berg
Bad Liebenwerda
Lauch-hammer
Senften-berg
Mulde
Elbe
Elster-werda
Ruh-land
Hoyerswerda
Gröditz
SACHSEN

■ Das Bundesland Brandenburg umschließt mit seiner Fläche von etwa 29 000 Quadratkilometern die deutsche Hauptstadt Berlin, die jedoch – trotz mancher brandenburgisch-berlinischen Vereinigungspläne – auch in absehbarer Zukunft politisch selbständig bleiben wird. So ist Brandenburgs Landeshauptstadt seit 1990 Potsdam, das bereits von 1685 bis 1918 neben Berlin die zweite Residenz des preußischen Herrscherhauses war. Hier, im Herzen des alten Königreichs Preußens, ließ sich im 18. Jahrhundert Friedrich der Große inmitten eines weitläufigen Parks sein zauberhaftes Rokokoschloß Sanssouci errichten. Neben Potsdam sind Cottbus, Brandenburg und Frankfurt/Oder die größten Städte der Mark Brandenburg, wie die rund 2,5 Millionen «Märker» ihr Heimatland nennen. Ökonomische Basis sind nach wie vor die Landwirtschaft, der Kohlebergbau, die Petrochemie und die Stahlindustrie. Seit der deutsch-deutschen Wiedervereinigung spielt auch der Fremdenverkehr eine immer größere Rolle.

Sand und Seen, Kiefernwälder und Heide: Das oft als «Streusandbüchse» verspottete Brandenburg hat zahlreiche reizvolle Landschaften wie die Seengebiete der Ruppiner und der Märkischen Schweiz, das Havelland mit seinen großen Obstplantagen, das stille Oderbruch und die einzigartige Flußinsellandschaft des Spreewalds. Doch auch die kleinen brandenburgischen Städte haben etwas zu bieten: Sei es Neuruppin mit seinem frühklassizistischen Stadtkern oder Brandenburg, Prenzlau und Jüterbog mit ihren stolzen Bauten im Stil der märkischen Backsteingotik. Meisterwerke zisterziensischer Baukunst sind die Klöster Zinna, Lehnin und vor allem Chorin, von wo aus einst das Land urbar gemacht wurde.

■ The State of Brandenburg, with its surface area of approximately 11,300 square miles, encompasses the German capital of Berlin. Despite Brandenburg-Berlin unification plans, Berlin will remain politically independent in the foreseeable future. Since 1990, the state capital of Brandenburg has been Potsdam, which from 1685 to 1918 was the second Residence city of the Prussian ruling house, after Berlin. Here, in the heart of the old kingdom of Prussia, Frederick the Great had his enchanting castle of Sans Souci built in the midst of extensive park grounds. Major cities of Mark Brandenburg, as the approximately 2.5 million «Markers» call their homeland, are, in addition to Potsdam, Cottbus, Brandenburg and Frankfurt/Oder. The economic basis is still agriculture, coal mining, petro-chemicals and the steel industry. Since Germany's reunification, tourism plays an even more important role.

Sand and lakes, pine woods and heather: Brandenburg, often derided as a «sandbox», has numerous charming landscapes, such as the Ruppin and Mark Switzerland lake districts, the Havelland region with its great fruit plantations, the tranquil Oder fen, and the unique island landscape of the Spreewald. But even the small cities have something to offer, such as Neuruppin with its early classical city centre, and Brandenburg, Prenzlau and Jüterbog with their proud buildings in the Mark brick Gothic style. Cistercian architectural masterpieces are the cloisters of Zinna, Lehnin and especially Chorin.

■ Couvrant quelque 29 000 kilomètres carrés et peuplé d'environ 2,5 millions d'habitants, le Land du Brandebourg «encercle» Berlin: il existe certes des projets visant à la fusion des deux Länder, mais qui ne seront pas réalisés à court terme. Depuis 1990, la capitale du Land est donc Potsdam, ville qui de 1685 à 1918 fut, avec Berlin, l'une des résidences des souverains prussiens. C'est ici, au cœur du royaume de Prusse, que Frédéric le Grand ordonna au XVIIIᵉ siècle la construction du château de Sans-Souci, merveilleux édifice rococo s'élevant dans un vaste parc. Parmi les autres grandes villes de l'ancienne marche de Brandebourg, citons encore Cottbus, Brandebourg et Francfort-sur-l'Oder. L'économie repose toujours sur l'agriculture, l'extraction de la lignite, la pétrochimie et la sidérurgie, le tourisme jouant cependant un rôle croissant depuis la réunification.

Couvert de lacs, de landes et de forêts de pins poussant sur un sol sablonneux – ce qui a valu au Brandebourg le sobriquet de «bac de sable»–, ce Land ne manque pas de charme: lacs disséminés dans la Suisse de la Marche, grands vergers du Havelland, calmes paysages de la vallée de l'Oder, mosaïque de terre et d'eau du Spreewald. Mais les petites villes ne sont pas elles non plus dépourvues d'intérêt, qu'il s'agisse de Neuruppin et de son centre-ville néo-classique, ou encore de Brandebourg, Prenzlau et Jüterbog, et de leurs fiers représentants du «gothique en briques de la Marche». Le Brandebourg abrite encore des chefs-d'œuvre de l'architecture cistercienne, comme les abbayes de Zinna, Lehnin et surtout Chorin, centres de civilisation à partir desquels la Marche fut défrichée et mise en valeur.

*Links und rechts:
Jahrhundertelang war
hier die Fischerei ein
wichtiger Wirt-
schaftsfaktor. Die
Havel ist heute noch
reich an Aalen.*

*Left and right: For
centuries, fishing was
here an important
economic factor.
The Havel is still
rich in eels today.*

*À gauche et à droite :
pendant des siècles,
pêche fut ici une res-
source importante.
Aujourd'hui encore,
la Havel regorge
d'anguilles.*

*Die Ausflugsschiffe
der «Weißen Flotte»
befahren die Havel
und die umliegenden
Seen, hier bei Werder
südwestlich von
Potsdam.*

*Excursion ships of the
«White Fleet» ply the
Havel and surround-
ing lakes; here, near
Werder, south-west
of Potsdam.*

*Non loin de Werder,
au sud de Potsdam.
Les bateaux de la
«Weisse Flotte» per-
mettent de faire des ex-
cursions sur la Havel
et les lacs des environs.*

Die Katharinenkirche aus dem 15. Jahrhundert ist die größte Kirche der Stadt Brandenburg und gilt als ein Hauptwerk der märkischen Backsteingotik.

The 15th century Catherine Church is the largest church in the city of Brandenburg and is considered a masterpiece of the Mark's brick Gothic.

Sainte-Catherine de Brandebourg, bâtie au XVᵉ siècle, est l'une des œuvres majeures du «gothique en briques» dans la marche de Brandebourg.

In Rheinsberg lebte
der Preußenkönig
Friedrich II. als Kro
prinz. Das «stille
Schloß am Griene-
ricksee» ist ein Werk
des Spätbarocks.

Prussian King
Frederick II spent
happy years as
Crown Prince in
Rheinsberg. The
«calm castle on
Grienerick Lake» is
a late baroque work

Le château baroque
de Rheinsberg. C'est
ici, au bord du
Grienericksee, que
le prince-héritier de
Prusse Frédéric II p
sa d'heureuses anné

Der Altmarkt von Cottbus ist von Handwerks- und Kaufmannshäusern aus dem 17. bis 19. Jahrhundert gesäumt.

Cottbus' Old Market is lined with 17th to 19th century craftsmen's and merchants' houses.

Maisons bourgeoises et ateliers d'artisans construits entre le XVIIᵉ et le XIXᵉ siècle, autour du marché de Cottbus.

Das 1907/8 erbaute Jugendstil-Theater von Cottbus ist in Europa einzigartig.

The art nouveau theatre, built in 1907/8 in Cottbus, is unique in Europe.

Construit en 1907/8, le théâtre de Cottbus, de style Art nouveau, est unique en Europe.

Die einzigartige Flußinsellandschaf des Spreewalds entstand durch die Verästelung der Spree und ihrer Nebenflü in Kanäle und «Fließe».

The Spreewald's unique river landscape was formed by the ramification of the Spree and its tributaries into canals and «rills».

Le Spreewald est ur région où les canau formés par les ramifications de la Spree de ses affluents délimitent une multitue de petites îles.

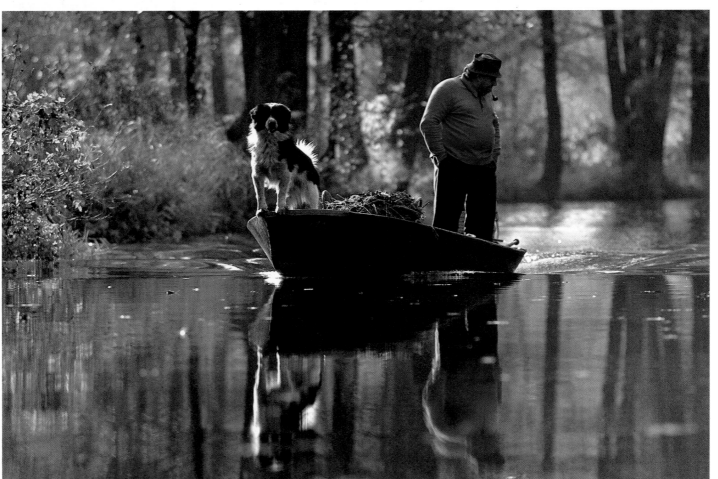

Das Boot ist auch heute noch ein wichtiges Transportmitt im Spreewald.

The boat is still a ve important means o transportation in t Spreewald.

Dans le Spreewald, la barque reste un moyen de transport privilégié.

Mitten im Spree-
wald liegt Lehde,
wo, wie zu Fon-
tanes Zeiten, «jedes
Bauernhaus in der
Umzäunung seiner
Gräben daliegt wie
eine Friedensburg».

In the heart of the
Spreewald lies the vil-
lage of Lehde, where,
as in Fontane's era,
«every farmhouse in
enclosure lies like a
peaceful stronghold».

Le village de Lehde,
dans le Spreewald,
n'a pas changé depuis
le siècle dernier, et les
descriptions du
romancier Fontane
n'ont rien perdu de
leur actualité.

Folgende Doppelseite:
Zum Spreewaldfest
tragen die sorbischen
Frauen ihre Trachten.
Die slawischen Sor-
ben sind bereits seit
dem 6. Jahrhundert
hier eingewandert.

Following double
page: Sorbian wo-
men wear their na-
tional costume for the
Spreewald festival.
The Slavic Sorbs im-
migrated here as early
as the 6th century.

Double page sui-
vante: femmes sorabes
dans leurs costumes
traditionnels. Les
Sorabes sont des
Slaves établis dans
le Spreewald depuis
le VIᵉ siècle.

149

17

151

Berlin
Berlin
Berlin

Seit 1991 heißt die Hauptstadt ganz Deutschlands wieder Berlin. Der 889 Quadratkilometer große Stadtstaat liegt mitten im Bundesland Brandenburg, das über 40 Jahre lang nur als Hinterland der ehemaligen DDR-Hauptstadt (Ost-)Berlin eine Rolle spielte. Mit 3,5 Millionen Einwohnern ist Berlin, das durch die Mauer jahrzehntelang das Symbol des geteilten Europas war, die größte deutsche Stadt, eine der bedeutendsten europäischen Industriestädte und eine pulsierende, schnellebige Metropole, in der Kunst und Kultur, Tradition und Avantgarde eine prickelnde Symbiose eingegangen sind.

Die vielbesungene «Berliner Luft» war immer auch der Duft der großen weiten Welt, der seit Preußens Aufstieg zur Großmacht im 17. Jahrhundert durch die Stadt an der Spree wehte. Damals kehrten preußischer Glanz und Gloria in Berlin ein: Mit prunkvollen Barockbauten wie Schloß Charlottenburg oder den Repräsentationsbauten am Gendarmenmarkt, der im 19. Jahrhundert durch Karl Friedrich Schinkels Schauspielhaus einen neuen klassizistischen Mittelpunkt erhielt.

Berlins Attraktionen sind sicher mehr als eine Reise wert: Vom Alexanderplatz, dem Zentrum des ehemaligen (Ost-)Berlin, bis zur berühmten Einkaufsmeile Kurfürstendamm, vom Brandenburger Tor bis zur Gedächtniskirche – Berlin zeigt sich überall als Metropole der Superlative. Und auch das Berliner Umland geizt nicht mit seinen Reizen: Sei es im Grunewald, an der Havel oder den vielen Seen. Doch Berlin ist nicht nur eine Weltstadt, Berlin ist auch ein Lebensgefühl: Eine einzigartige Mischung aus Geschichte und Gegenwart, gewürzt mit dem Versprechen einer faszinierenden Zukunft.

Since 1991, Berlin is once again the capital of all Germany. The 347-square-mile city state lies in the heart of the State of Brandenburg, which for over 40 years played a role only as the hinterland of the former German Democratic Republic's capital of (East) Berlin. Berlin, its wall for decades the symbol of a divided Europe, is with its 3.5 million inhabitants Germany's largest city. It is one of the most important industrial cities in Europe and a pulsing, fast-paced metropolis, where art and culture, tradition and the avant-garde have joined in a titillating symbiosis.

The much touted «Berlin air» was always the scent of the great wide world, wafting through the city since Prussia's rise to a super power in the 17th century. Prussian brilliance and glory came to Berlin then, with grandiose baroque buildings such as Charlottenburg Castle and the splendid Gendarmenmarkt, which attained a new focal point in the 19th century with Karl Friedrich Schinkel's theatre. Berlin's attractions are certainly worth more than one trip: From Alexanderplatz, the centre of the then (East) Berlin, to the Kurfürstendamm, the famous shopping boulevard, from the Brandenburg Gate to the Gedächtniskirche – Berlin shows itself as a superlative metropolis. Nor are its environs without charm: whether it be Grunewald, the Havel or the numerous lakes. But Berlin is not just a metropolis, Berlin is also a way of life: a unique mixture of past and present, spiced with the promise of a fascinating future.

Depuis 1991, Berlin est de nouveau la capitale de l'Allemagne. Divisée par le Mur et privée d'arrière-pays durant quarante ans, cette ville a été le symbole de la partition de l'Europe. Avec 3,5 millions d'habitants répartis sur 889 kilomètres carrés, Berlin, ville-État, est à la fois la première des villes allemandes, l'un des principaux centres industriels européens et une métropole animée, dans laquelle l'art et la culture, la tradition et les avant-gardes s'associent pour former une symbiose pétillante.

Il flotte sur les bords de la Sprée un parfum de ville ouverte sur le vaste monde, et cela depuis la fin du XVIIe siècle, époque qui vit l'accession de la Prusse au statut de grande puissance. C'est alors en effet que la splendeur et la gloire prussiennes ont commencé à s'exprimer à Berlin, notamment par de somptueux bâtiments baroques tels que le château de Charlottenbourg ou par les prestigieux édifices du Gendarmenmarkt, ensemble architectural complété au XIXe siècle par le Schauspielhaus, théâtre néoclassique dû à l'architecte Schinkel qui marqua de son empreinte la physionomie de la ville.

Un proverbe allemand dit que Berlin vaut bien un voyage. Mais cette ville recèle tant de curiosités qu'il faut assurément en faire plusieurs: de la porte de Brandebourg à l'église du Souvenir, de la place Alexanderplatz au Kurfürstendamm, Berlin est véritablement une métropole des superlatifs. La banlieue elle-même ne manque pas de charme, que ce soit dans la forêt de Grunewald, au bord de la Havel ou de l'un des nombreux lacs disséminés aux alentours de la ville. Mais Berlin n'est pas qu'une capitale: c'est aussi un style de vie, un mélange unique d'histoire et de présent, une ville à l'avenir fascinant.

Das Rote Rathaus,
Sitz des Regierenden
Bürgermeisters und
des Senats von ganz
Berlin, verdankt sei-
n Namen seiner ro-
n Backsteinfassade.

The Red Town
Hall, seat of the
incumbent mayor
and the senate of all
erlin, owes its name
its red brick facade.

'hôtel de ville rouge,
ui abrite les bureaux
du bourgmestre et le
parlement de Berlin
éunifié, se reconnaît
à sa façade de
briques rouges.

157

160

Die Berliner nennen
die Kongreßhalle
in den Grünanlagen
des Tiergartens
«Schwangere Auster».

The inhabitants of
Berlin call the
Congress Hall in
Tiergarten park the
«Pregnant Oyster».

Le palais des congrès
au Tiergarten, baptisé
«l'huître pleine»
(Schwangere Auster)
par les Berlinois .

Die futuristisch an-
mutende Philharmo-
nie am Südrand des
Tiergartens wurde
von Hans Scharoun
in den sechziger
Jahren erbaut.

The Philharmonic on
the southern edge of
the Tiergarten was
built in the 1960's
by Hans Scharoun.

La Philharmonie, édi-
fice futuriste construit
par Hans Scharoun,
dans les années
soixante, au sud du
parc de Tiergarten.

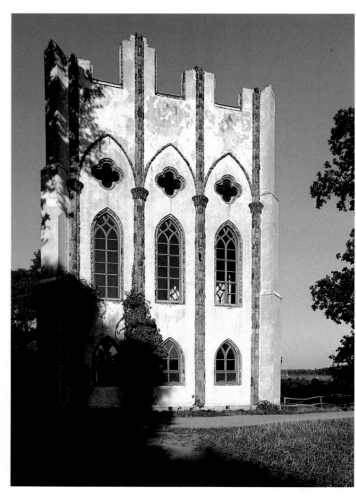

*Ende des 18. Jahr-
hunderts wurden de
Schlößchen (links)
und die Meierei
(rechts) auf der
Pfaueninsel als kün
liche Ruinen errichte*

*At the end of the
18th century, the
little castle (left) and
the farmhouse (righ
on Peacock Island
were built as
artificial ruins.*

*L'île aux Paons, su
le Wannsee: le châ-
teau (à gauche) et la
fermette (à droite),
construits à la fin d
XVIIIᵉ siècle, imite
des ruines.*

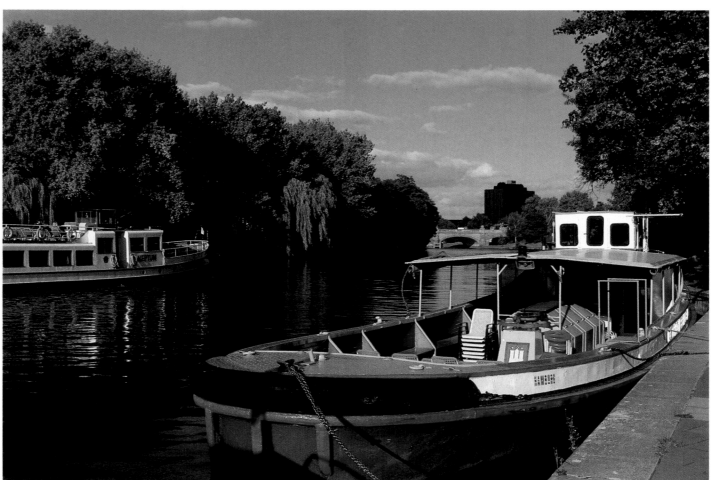

*Eine beschauliche
Art, Berlin zu ent-
decken, ist eine
Fahrt auf einem
Spreedampfer.*

*A tranquil way
to discover Berlin
is by a trip on
a Spree steamer.*

*Les vedettes navi-
guant sur la Sprée p
mettent de découvri
Berlin d'une maniè
bien agréable.*

162

*er Grunewaldturm
bietet eine herrliche
Aussicht über den
dtforst von Berlin,
den Grunewald.*

*The Grunewald
Tower provides a
splendid view over
Grunewald, the city
forest of Berlin.*

*La tour de
Grunewald, depuis
quelle on découvre
superbe panorama
sur la forêt.*

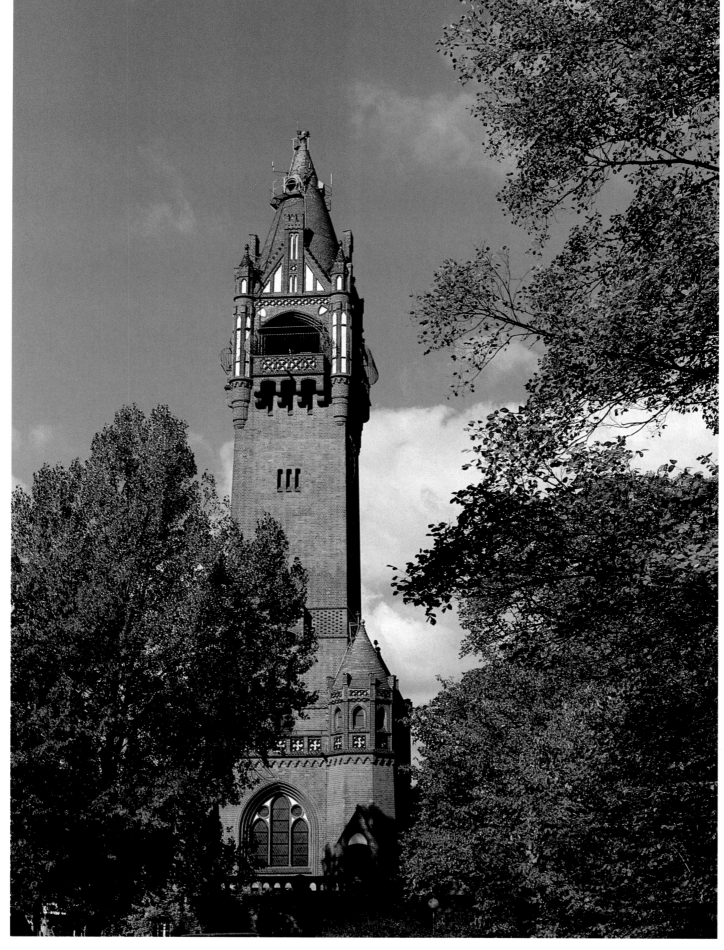

*gende Doppelseite:
as Brandenburger
r, einst Symbol der
eilten Stadt, ist seit
989 das Wahrzei-
en des wiederverei-
ten Deutschlands.*

*Following double
ge: Former symbol
a divided city, the
Brandenburg Gate,
been the symbol of
reunited Germany
e the year of 1989.*

*Double page sui-
vante: la porte de
Brandebourg, qui
térialisait la parti-
tion de la ville, est
venue le symbole de
lemagne réunifiée.*

NIEDERSACHSEN

NIEDERLANDE

Enschede

Rheine
Burg-steinfurt
Emsdetten
Osnabrück
Minden
Bad Oeynhausen
Lengerich
Dissen
Herford
Bad Salzuflen
Ahaus
Schöppingen
Greven
Halle
Lemgo
Bad Pyrmont
Bielefeld
Versmold
Weseke
Coesfeld
Münster
Harsewinkel
Detmold
Schieder-
Borken
Warendorf
Gütersloh
Horn-
Bad Meinberg
Schwalen-berg
Rheda-
Naturpark Hohe Mark
Dülmen
Wiedenbrück
Paderborn
Höxter
Haltern
Ahlen
Beckum
Lippe
Goch
Wesel
Dorsten
Werne
Hamm
Lippstadt
Geseke
Salz-kotten
Borchen
Kleve
Xanten
Marl
Lünen
Recklinghsn.
Erwitte
Arnheim
Nijmegen
Rhein
Dinslaken
Gelsen-kirchen
Henten
Unna
Soest
War-burg
Geldern
Kamp-Lintfort
Bottrop
Herne
Dortmund
Möhne-Stausee
Marsberg
Straelen
Moers
Oberhausen
Bochum
Neheim-Hüsten
Warstein
Naturpark Arnsberger Wald
Venlo
Mül-heim
Essen
Witten
Menden
Krefeld
Duisburg
Hattingen
Hagen
Ruhr
Arns-berg
Meschede
Kass
Iserlohn
Henne-Stausee
Wuppertal
Ennepe-tal
Altena
Balve
Naturpark Homert
Korbach
Düssel-dorf
Lüden-scheid
Neuß
Remscheid
Pletten-berg
Schmallen-berg
Winter-berg
Mönchen-Gladbach
Erkelenz
Solingen
Maas
Grevenbroich
Attendorn
Lennestadt
Bad Berleburg
Hückel-hoven
Monheim
Odenthal
Gummers-bach
Bigge-Stausee
Naturpark
Olpe
Stommeln
Leverkusen
Alsdorf
Rur
Köln
Bensburg
Bergisches Land
Kreuztal
Bad Laasphe
Bieden-kopf
Aachen
Kerpen
Brühl
Freuden-berg
Siegen
Stolberg
Düren
Siegburg
Wind-eck
Wilns-dorf
Zülpich
Bonn
Sieg
Erft
Kommern
Euskirchen
Königs-winter
Monschau
Mechernich
Bad Münster-eifel
HESSEN
Rur-Stausee
Schleiden
Nordeifel
BELGIEN
Blanken-heim

RHEINLAND-PFALZ

Rhein

N
0   25 km

Nordrhein-Westfalen ist mit bald 18 Millionen Einwohnern das bevölkerungsreichste Bundesland Deutschlands, wobei es flächenmäßig mit 34 070 Quadratkilometern gerade an vierter Stelle rangiert. Düsseldorf, die elegante Landeshauptstadt, liegt südlich von Europas größtem urbanen Ballungsraum an Rhein und Ruhr, wo bis zum einschneidenden Strukturwandel der letzten Jahrzehnte Kohlebergbau und Stahlindustrie das Leben bestimmten. Daß sich in unmittelbarer Nachbarschaft des bedeutendsten deutschen Industriereviers, dem Ruhrgebiet, noch verträumte, stille Landschaften erstrecken, ist allerdings meist nur den Einheimischen bekannt. Ein Viertel der Fläche des Bundeslandes bedecken waldreiche Mittelgebirgslandschaften wie der Teutoburger Wald, das Rothaargebirge, die Nordeifel oder das Sauerland. Und mehr als die Hälfte wird landwirtschaftlich genutzt.

Die Konzentration so vieler Städte macht Nordrhein-Westfalen auch zu einem Zentrum von Wissenschaft und Kunst – und das nicht erst in unseren Tagen. Bauwerke und Denkmäler aus der Römerzeit bis in die Moderne belegen die lange Tradition dieses alten Kulturlandes, das viel mehr als nur den weltberühmten Dom in der Rheinmetropole Köln aufzuweisen hat. Großartige Schloßarchitektur findet man vom Münsterland bis nach Bonn, das über 40 Jahre lang das politische Zentrum Deutschlands war. Und mit wertvollen Kunstsammlungen und einer lebendigen Kulturszene werben Ruhrgebietsstädte wie Duisburg, Essen und Dortmund. Doch in Nordrhein-Westfalen weiß man auch andere Genüsse zu schätzen: Nicht zufällig kommt eines der beliebtesten deutschen Biere aus Dortmund.

North Rhine-Westphalia is the most densely populated state in Germany, with 18 million inhabitants, but ranks fourth in surface area with its 13,308 square miles. Düsseldorf, the elegant state capital, lies to the south of Europe's largest urban region on the Rhine and Ruhr, where, until the decisive structural change over the last few decades, coal mining and the steel industry defined the life here. Only insiders know that in the immediate vicinity of the most important German industrial district, there are tranquil landscapes and wooded highlands such as the Teutoburger Wald, the Rothaar Mountain Range, the North Eifel and the Sauerland. About one half of the state's surface area is used for agriculture.

The concentration of so many cities makes North Rhine-Westphalia a centre of science and arts as well – and not just recently. Buildings and monuments dating from Roman to modern times substantiate the long tradition of this old cultural state, which has produced much more than just the famous cathedral in the Rhine metropolis of Cologne. Marvellous castle architecture can be found from the Münsterland to Bonn, which for over 40 years was Germany's political centre. Ruhr area cities such as Duisburg, Essen and Dortmund attract with valuable art collections and a lively cultural scene. But in North Rhine-Westphalia, people know how to enjoy other pleasures as well; it is not by chance that one of Germany's favourite beers comes from Dortmund.

Avec près de 18 millions d'habitants, la Rhénanie du Nord-Westphalie est le plus peuplé des Länder de République fédérale, même si par sa superficie de 34 070 kilomètres carrés, il n'occupe que la quatrième place. Düsseldorf, l'élégante capitale du Land, est située au sud de la plus grande concentration urbaine d'Europe et de la plus importante des régions industrielles allemandes: la Ruhr. Jusqu'à la restructuration radicale de ces dernières décennies, on y vivait principalement de la sidérurgie et de l'extraction de la houille. Ce qui est moins connu du grand public, c'est que des paysages tranquilles et romantiques subsistent à proximité immédiate de cette grande région industrielle. Les collines boisées du Teutoburger Wald, du Rothaargebirge, du Nordeifel et du Sauerland couvrent en effet un quart de la Rhénanie du Nord-Westphalie, la moitié du Land étant par ailleurs consacrée à l'agriculture.

Du fait de la forte concentration urbaine qui la caractérise, la Rhénanie du Nord-Westphalie est depuis longtemps déjà un centre scientifique et artistique. La longue tradition culturelle locale est mise en évidence non seulement par la cathédrale de Cologne, célèbre dans le monde entier, mais également par de nombreux édifices et monuments érigés entre la période romaine et l'époque actuelle: citons seulement les superbes châteaux s'élevant entre Münster et Bonn, qui fut la capitale politique de l'Allemagne pendant plus de quarante ans, les villes de la Ruhr comme Duisburg, Essen et Dortmund, où la vie culturelle est très active. Mais la Rhénanie du Nord-Westphalie a aussi d'autres plaisirs à offrir, notamment la bière de Dortmund, l'une des plus fameuses au monde.

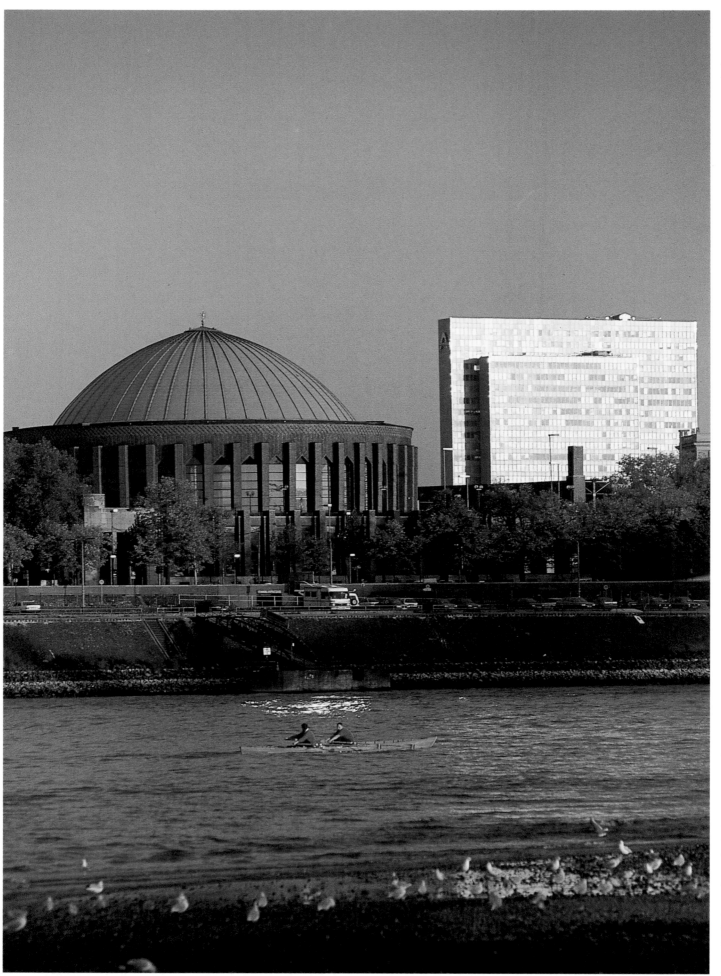

Die Tonhalle in Düsseldorf (links) ist ein markantes Beispiel für die Architektur der zwanziger Jahre.

The Tonhalle in Düsseldorf (left) is a striking example of 1920's architecture.

La Tonhalle de Düsseldorf est un exemple caractéristique de l'architectu des années vingt.

Vorangehende Doppelseite: Im Süden Düsseldorfs liegt da barocke Jagdschloß Benrath.

Previous double pag In the south of Düsseldorf lies the baroque hunting lodge Benrath.

Double page précédente: le pavillon de chasse baroque de Benrath, au sud de Düsseldorf.

Oben und unten: einen Höhepunkt des Festkalenders bildet die Düsseldorfer Kirmes, das größte Kirchweihfest am Rhein. Es findet auf einer großen Wiese direkt am Fluß statt.

Top and bottom: A climax of the festival calendar is the Düsseldorf annual fair, the largest Rhenish fête-champêtre. It is held in a large meadow directly on the river bank.

En haut et en bas: la fête foraine de Düsseldorf, une des plus importantes et plus populaires des pays rhénans, est organisée dans un vaste champ situé sur les bords du Rhin.

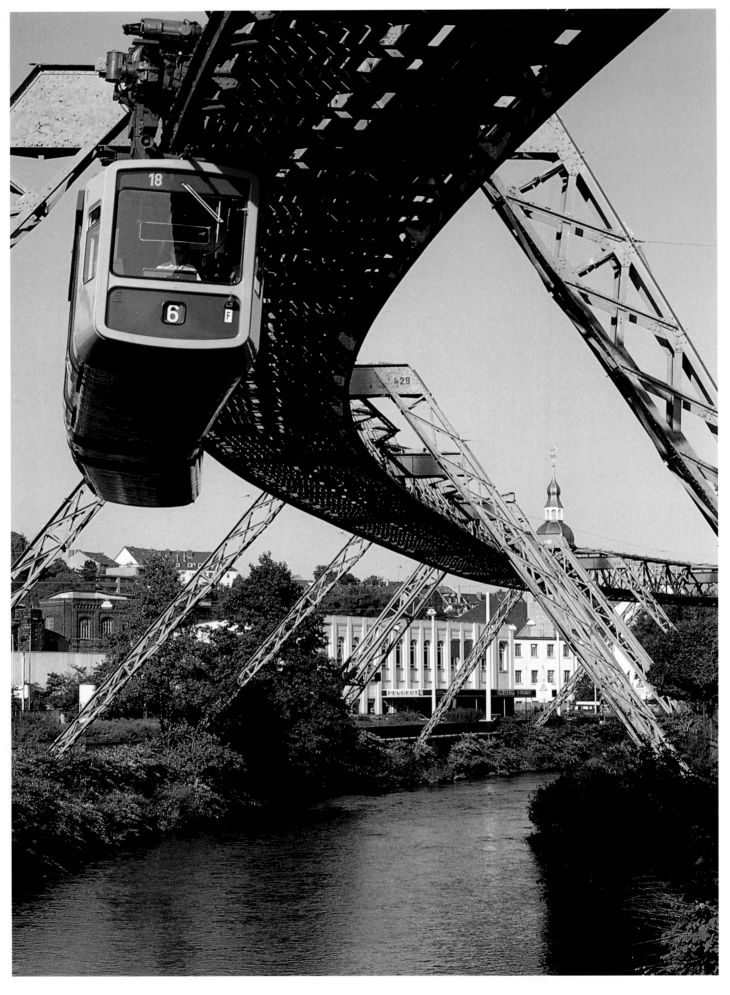

Der 212 Meter hohe Dortmunder Fernsehturm «Florian» bietet einen Panoramablick über den Westfalenpark, ein weitläufiges Freizeit- und Erholungsgelände im Süden der Stadt.

Dortmund's 689-foot-high TV tower «Florian» offers a panoramic view over Westfalenpark, a recreation area in the city's south.

La tour de la télévision de Dortmund, haute de 212 mètres, a baptisée «Florian». Elle domine le Westfalenpark, un grand parc de loisirs implanté au sud de la ville.

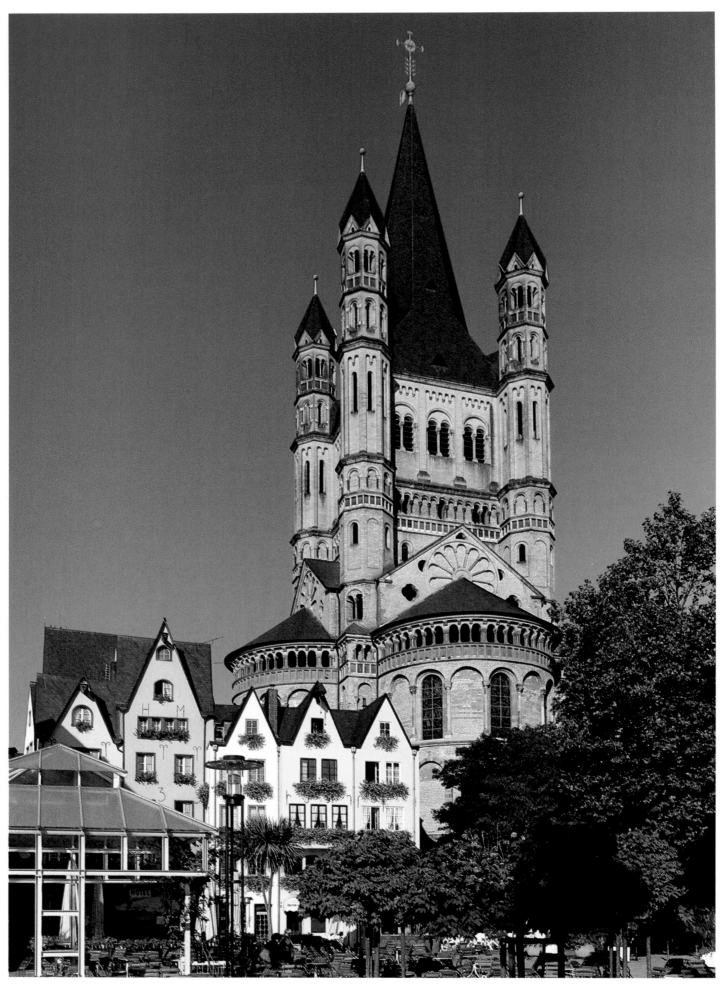

Oben: Seit 1986 ist
die Sammlung Lud-
wig im Museum am
Kölner Dom zu se-
hen. Unten: Viele
Brücken führen in
Köln über den Rhein.

Top: Since 1986, the
Ludwig Collection
a be seen in the mu-
seum at Cologne's
Cathedral. Bottom:
e Rhine is spanned
at Cologne by
numerous bridges.

Ci-dessus: depuis
1986, la collection
Ludwig est exposée
complexe muséolo-
gique (à gauche),
rès de la cathédrale
e Cologne. Ci-des-
sous: de nombreux
onts franchissent le
Rhin à Cologne.

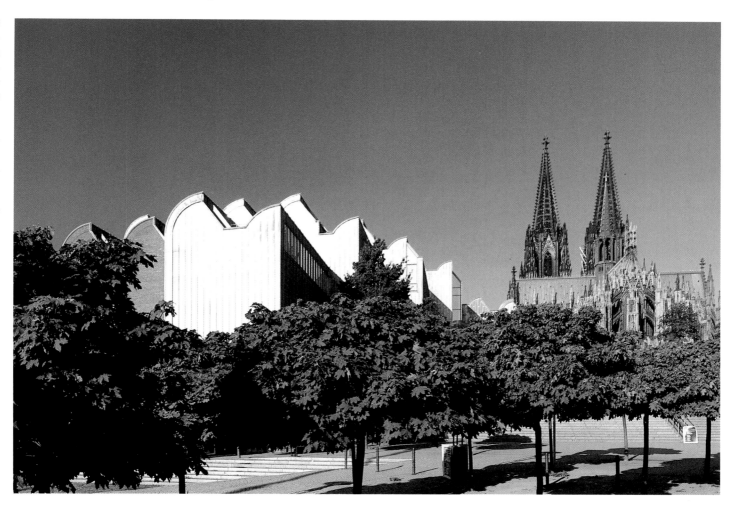

gende Doppelseite:
Kölns Wahrzeichen
st der Dom, der im
hr 1880, also über
600 Jahre nach der
Grundsteinlegung,
vollendet wurde.

Following double
age: Cologne's em-
em is the cathedral,
hich was completed
1880, six hundred
ars after the corner-
stone was laid.

Double page sui-
ante: la cathédrale
de Cologne – l'em-
ème de la ville – ne
fut terminée qu'en
1880, plus de six
cles après la pose de
la première pierre.

175

Camper an der Ruhr
kennen sich oft schon
seit Jahren. Man trifft
sich beim Plausch, als
wären es die Nach-
barn von nebenan.

Ruhr Campers have
often known each
other for years, meet-
ing each for a chat as
though they were next
door neighbours.

Dans ce terrain de
camping de la Ruhr,
la plupart des vacan-
ciers se connaissent et
se retrouvent tous les
ans avec plaisir.

(Fast) immer geöffnet
verkaufen sie (fast)
alles: die «Trinkhal-
len» und Kioske im
Ruhrgebiet.

(Almost) always
open, they sell
(almost) everything:
refreshment stalls
and kiosks in
the Ruhr district.

Les kiosques de la
Ruhr sont (presque)
toujours ouverts et
vendent (pratique-
ment) de tout.

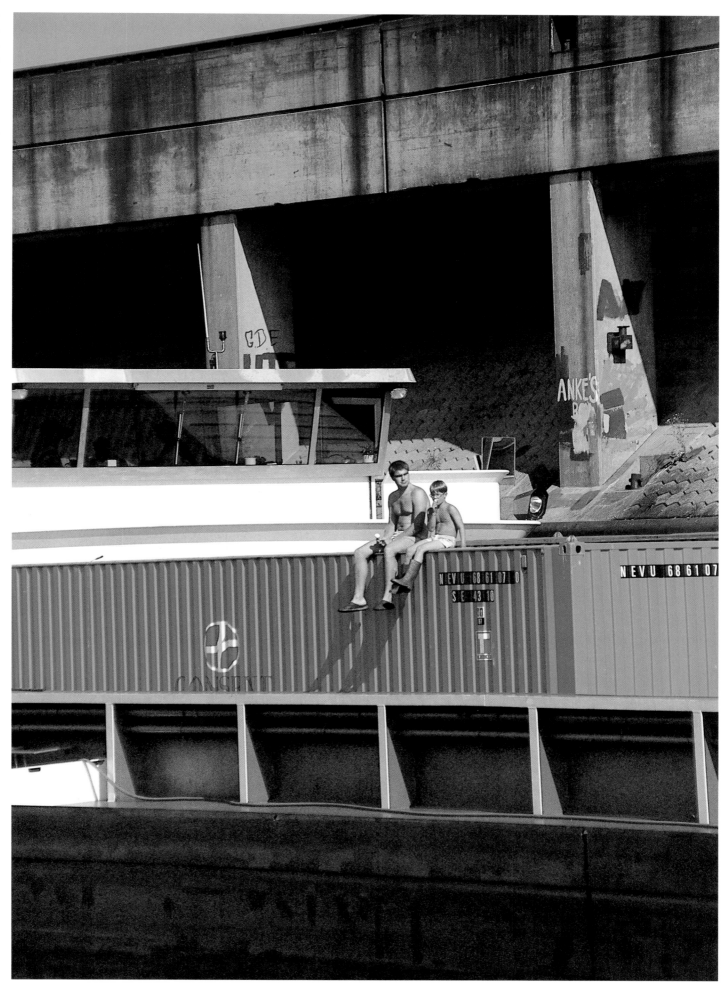

Ein gemütliches Plätzchen ganz eigener Art: am Duisburger Freihafen.

A cosy place of a very special kind: at the Duisburg duty free zone.

Moment de détente dans le port franc de Duisburg.

...gende Doppelseite: ...ie Metallindustrie ist immer noch ein bedeutender Wirt-...aftszweig in Nord-...in-Westfalen. Hier in einer Schmiede in Hagen.

Following double ...age: As has always ...en the case, the met-...l industry is impor-...nt in North Rhine-...estphalia. Here, in ...a smithy at Hagen.

Double page suivante: forge ...Hagen, au nord du ...uerland. La métal-lurgie reste un des ...ers économiques de la Rhénanie du Nord-Westphalie.

179

Das Barockschloß
Nordkirchen im süd-
lichen Münsterland,
von Zeitgenossen
das «westfälische
Versailles» genannt,
liegt auf einer fast
quadratischen Insel.

The baroque castle of
Nordkirchen in
Münsterland, called
the «Westphalian
Versailles» by its con-
temporaries, is located
on an island almost
square in shape.

Le château baroque de
Nordkirchen, au sud
de Münster. Cons-
truit sur une île for-
mant un carré pres-
que parfait, il fut baptisé
«Versailles de la
Westphalie».

182

Eine elegante Freitreppe führt hinauf zum Portal des barocken Bonner Rathauses.

An elegant outdoor staircase leads up to the porch of Bonn's baroque Town Hall.

L'hôtel de ville baroque de Bonn, avec son élégant escalier extérieur.

Bonn ehrt Beethoven, den berühmtesten Sohn der Stadt, mit einem Denkmal auf dem Münsterplatz.

Bonn honours Beethoven, its most famous son, with a statue on the Münsterplatz.

Statue de Beethoven, érigeé sur le Münsterplatz par la ville de Bonn, en l'honneur du plus célèbre de ses enfants.

Oben und unten: Das Ebbegebirge im Sauerland ist eine dünnbesiedelte Region. Obwohl hier sehr reizvolle Ausflugsziele liegen und die sanfte Hügellandschaft zu ausgedehnten Wanderungen einlädt, ist es immer noch ein Geheimtip.

Top and bottom: The Ebbe Mountain Range in Sauerland is sparsely populated. Although there are many charming excursion destinations here, and the gently rolling landscape invites one to extensive rambles, it is still not well known.

En haut et en bas: le monts d'Ebbe, dans Sauerland, ne sont que faiblement peuplés. Cette région pittoresque offre de nombreuses possibilités d'excursions et de randonnées que n'exploitent encore que de très rares touristes.

184

Mittwochs und samstags ist Wochenmarkt vor dem romanisch-gotischen Dom von Münster.

On Wednesdays and Saturdays the biweekly market is held in front of the Romanesque-Gothic Cathedral of Münster.

Une marché bihebdomadaire (les mercredis et samedis) se tient sur le parvis de la cathédrale romane et gothique de Münster.

Folgende Doppelseite: Die Fachwerkhäuser in Freudenberg bestimmen seit über 300 Jahren das Bild des Luftkurortes im Siegerland.

Following double page: The half-timbered houses of Freudenberg have determined the spa's image in Siegerland for over 300 years.

Double page suivante: maisons à colombages trois fois centenaires de Freudenberg, station climatique du Siegerland.

186

Rheinland-Pfalz
Rhineland-Palatinate
Rhénanie-Palatinat

NORDRHEIN-WESTFALEN

BELGIEN

Bonn

Marburg

Kirchen
Betzdorf
Wissen
Altenkirchen
Hachenburg
Bad Marienberg

Remagen
Bad Neuenahr
Ahrweiler
Sinzig
Bad Hönningen
Rengs-dorf
Neu-wied
Bad Breisig
Bad Tönnisstein
Andernach
Bendorf
Montabaur
Maria Laach
Höhr-Grenzhausen
Koblenz
Westerburg

Naturpark Nordeifel
Blanken-heim

Ahr
Ahrgebirge

Naturpark Rhein-Westerwald
Naturpark
Nassau
Limburg
Diez

Nürburg
Mayen
Burg Stotzenfels
Bad Ems

Eifel
Monreal
Kobern-Gondorf
Rhens
Lahnstein
Braubach

Prüm
Gerolstein
Daun
Münstermaifeld
Boppard

Naturpark Südeifel
Burg Eltz
Karden
Treis
Sankt Goarshausen
Sankt Goar
Loreley
Kaub

Manderscheid
Cochem
Beilstein
Senheim
Kastellaun
Oberwesel
Wiesbaden
Frankfurt

Deutsch-Luxemburgischer Naturpark
Kyllburg
Bad Bertrich
Zell
Bacharach
Geisenheim
Rüdes-heim
Mainz

Bitburg
Wittlich
Enkirch
Traben-Trarbach
Simmern
Bingen
Ingelheim

Bernkastel-Kues
Bad Kreuznach
Wörrstadt
Nierstein
Darmstadt

Neumagen-Dhron
Morbach
Kirn
Bad Münster-Ebernburg
Oppen-heim
Guntersblum

LUXEMBURG
Herrstein
Sobernheim
Fürfeld
Alzey
HESSEN

Trier
Idar-Oberstein
Nahe
Nordpfälzer Bergland
Meisen-heim
Kirchheim-bolanden
Worms

Luxem-burg
Konz
Naturpark
Hermeskeil
Birkenfeld
Offenbach-Hundheim
Grün-stadt

Saar-burg
Zerf
Glan
Winnweiler
Otter-berg
Frankenthal
Oggersheim

Serrig
Hunsrück
Kusel
Kaiserslautern
Bad Dürkheim
Ludwigshafen
Mannheim

Remich
Merzig
SAAR-LAND
Frankenstein
Deides-heim
Schifferstadt

Saar
Naturpark Pfälzer Wald
Lambrecht
Neustadt
Speyer
Heidelberg

Saarlouis
Zweibrücken
Rodalben
Edenkoben
Maikammer
Hochstadt

Saar-brücken
Pirmasens
Annweiler
Landau
Germersheim

Dahn
Deutsche Weinstraße
BADEN-

Dörrenbach
Bad Berg-zabern

FRANKREICH
Wissembourg
Karlsruhe
WÜRTTEMBER

Rheinland-Pfalz ist nicht nur dem Namen nach das deutsche Kernland des Rheins, gilt doch seit bald 200 Jahren das Rheintal zwischen Koblenz und Mainz als Inbegriff einer romantischen deutschen Landschaft. Rund vier Millionen Menschen leben hier auf einer Fläche von 19 846 Quadratkilometern, wovon knapp die Hälfte landwirtschaftlich genutzt wird und weitere 40 Prozent Waldland sind. Kein Land der großen Städte also: Selbst die Landeshauptstadt Mainz begnügt sich mit 180 000 Einwohnern, dicht gefolgt von Ludwigshafen, dem Sitz des Chemiekonzerns BASF mit über 100 000 Beschäftigten. Nennenswerte Großstädte sind noch Kaiserslautern, Koblenz und Trier, doch ansonsten ist Rheinland-Pfalz vor allem für romantische Weinorte wie Bernkastel-Kues, Traben-Trarbach, Zell oder Cochem berühmt.

Der Weinbau hat hier seit altersher einen hohen Stellenwert – auch wenn seine wirtschaftliche Bedeutung in den letzten Jahren zurückgegangen ist. Zwei Drittel der Weinanbaufläche Deutschlands liegen in der Pfalz und an den Ufern des Rheins und seiner Nebenflüsse Mosel, Nahe und Ahr. Kein Wunder, daß da die Winzerfeste zu den großen Ereignissen des Rheinland-Pfälzer Kalenders zählen.

Eine Weinprobe läßt sich in dieser alten Kulturlandschaft zwischen Westerwald und Eifel, Hunsrück und Pfälzer Wald gut mit einer Reise in die Vergangenheit verbinden: Zu den Römerbauten in Trier, den mittelalterlichen Kaiserdomen in Mainz, Speyer und Worms oder zur romanischen Benediktinerabtei Maria Laach und den malerischen Burgen an Rhein und Mosel. Seine Gesundheit kann man in 60 Heilbädern und Kurorten pflegen, und für Stimmung sorgt der berühmte Mainzer Karneval.

Rhineland Palatinate is not merely the German heartland of the Rhine in name; for almost 200 years, the Rhine valley between Koblenz and Mainz has been considered to be the quintessence of romantic German landscape. Approximately four million people live here on a surface area of 7,752 square miles, of which around 90 percent is tilled land and woods. No state of big cities, therefore. Even the state capital of Mainz contents itself with just 180,000 inhabitants, closely followed by Ludwigshafen, seat of the chemical company BASF. Other cities worth mentioning are Kaiserslautern, Koblenz and Trier.

Rhineland-Palatinate is otherwise famed for its romantic wine-growing areas such as Bernkastel-Kues, Traben-Trarbach, Zell and Cochem. Wine-growing has held a high position here since ancient times. Two thirds of Germany's wine-growing areas are in the Palatinate and on the banks of the Rhine and its tributaries the Mosel, the Nahe and the Ahr. No wonder the wine festivals are among the great events celebrated in Rhineland-Palatinate. Wine-tasting in this landscape between Westerwald and Eifel, Hunsrück and Pfälzer Wald can be combined with a journey through time: to the Roman buildings in Trier, to the medieval cathedrals in Mainz, Speyer and Worms, to the Romanesque Benedictine abbey Maria Laach and to the innumerable picturesque castles. One can care for one's health in the over 60 medicinal baths and spas, and the famous Mainz Carnival activities ensure a great atmosphere.

Comme son nom l'indique, le Land de Rhénanie-Palatinat est le pays du Rhin, fleuve dont la vallée entre Coblence et Mayence est considérée depuis bientôt deux cents ans comme le paysage romantique allemand par excellence. Le Land compte quelque quatre millions d'habitants, répartis sur 19 846 kilomètres carrés, la moitié de cette superficie étant constituée par des terres agricoles et 40 pour cent par des forêts. On ne trouve donc pas ici de grande ville: Mayence, la capitale, n'a que 180 000 habitants; elle est suivie de près par Ludwigshafen – siège de BASF, trust chimique employant plus de 100 000 personnes. On pourrait encore citer Kaiserslautern, Coblence et Trèves, mais le Land de Rhénanie-Palatinat est avant tout célèbre pour ses villages romantiques tels que Bernkastel-Kues, Traben-Trarbach, Zell ou Cochem, tous situés au cœur d'un vignoble. La vigne est cultivée ici depuis fort longtemps, mais son importance économique a diminué ces dernières années. Les deux tiers du vignoble allemand sont concentrés dans le Palatinat, sur les côtes du Rhin et au bord de la Moselle, de la Nahe et de l'Ahr. Il n'est donc pas étonnant que les fêtes des vendanges soient les temps forts de la vie en Rhénanie-Palatinat.

Dans ce pays de longue tradition culturelle s'étirant sur les massifs du Westerwald et de l'Eifel, de l'Hunsrück et du Pfälzer Wald, il est possible d'associer œnologie et voyage dans le temps: en visitant les édifices romains de Trèves, les cathédrales impériales de Mayence, Spire et Worms, ou encore l'un des pittoresques châteaux des bords du Rhin et de la Moselle. Ce Land, qui compte par ailleurs une soixantaine de stations thermales, est particulièrement animé lors du célèbre carnaval de Mayence.

Am Deutschen Eck
bei Koblenz münde
die Mosel in den
Rhein (oben). Von
den Uferanlagen ar
hat man einen schö
nen Blick auf beide
Flüsse (unten).

At the Deutsches E
near Koblenz, the
Mosel is confluent
with the Rhine (top
There is a lovely vie
of the two rivers fro
the banks (bottom).

Le Deutsches Eck,
confluent du Rhin
de la Moselle, près
Coblence (en haut).
Assis sur la berge,
peut embrasser du
gard les deux fleuve
(en bas).

Vorangehende Dop
pelseite: Der sagen-
umwobene Felsen
der Loreley liegt bei
Sankt Goarshause
wo die Burg Katz
hoch über dem Rhe
thront.

Previous double pa
The legendary Lore
cliffs lie near Sankt
Goarshausen, whe
the Castle Katz reig
high over the Rhine

Double page précé-
dente: le légendaire
cher de la Lorelei et
château fort de Kat
Sankt Goarshausen
sur les bords du Rh

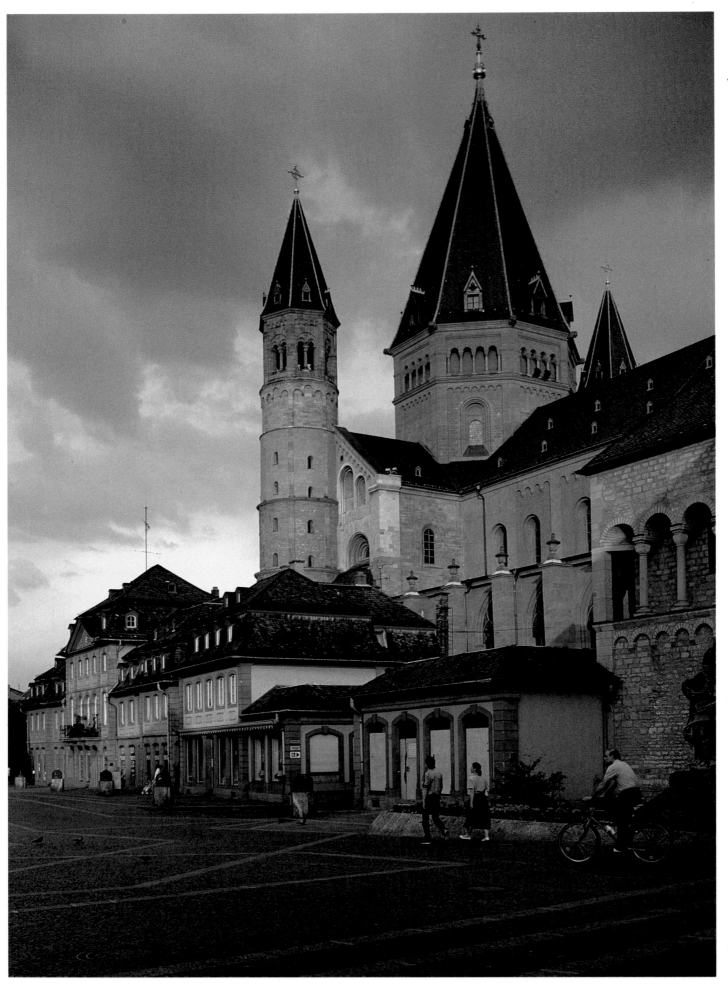

Der Mainzer Dom,
ein Meisterwerk der
Romanik, konnte
1975 sein 1000jähri-
ges Bestehen feiern.

The Mainz Cathedr
a Romanesque
masterpiece, cele-
brated 1000 years o
its existence in 1975

La cathédrale de
Mayence, un chef-
d'œuvre de l'art ro-
man, a fêté son mill
naire en 1975.

Vorangehende Dop
pelseite: Der Markt
platz von Mainz is
sommers wie winter
beim Karneval ode
einem Freiluftkonze
eine schöne Kulisse.

Previous double pa
Summer and winte
the market square i
Mainz is a lovely
backdrop for carni
celebrations or for a
open-air concert.

Double page précé-
dente: été comme hi
ver, lors du carnava
ou d'un concert en
plein air, la place d
Marché de Mayenc
est très animée.

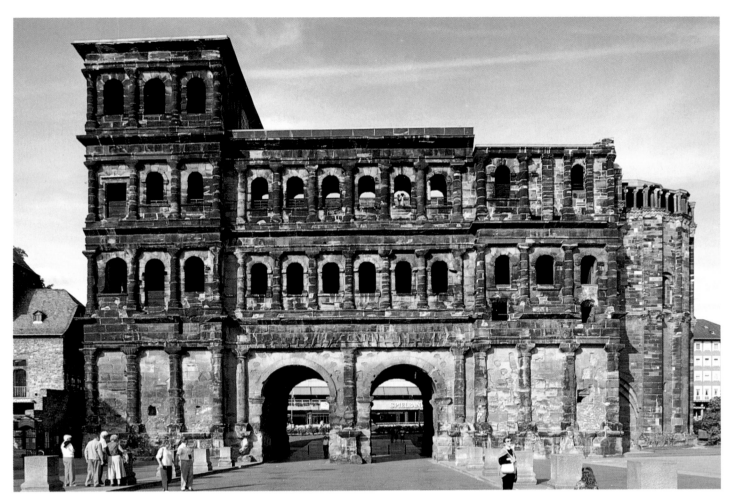

Die Porta Nigra, das «Schwarze Tor» in Trier, erinnert an die römischen Gründer der Stadt.

Trier's Porta Nigra, the «Black Gate», evokes the city's Roman founders.

La Porta nigra (porte noire) de Trèves rappelle que la ville fut fondée par les Romains.

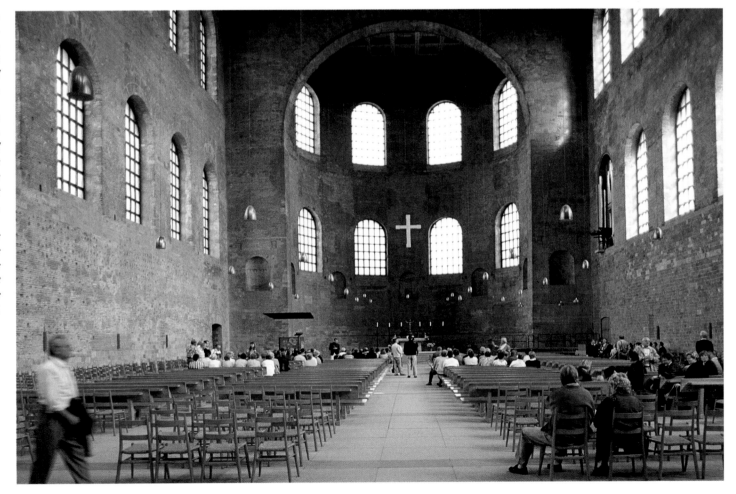

Die Römische Basilika in Trier wurde vermutlich um 300 von Kaiser Konstantin dem Großen als Teil seines Palastes erbaut.

The Roman basilica in Trier was probably built around the year 300 by the emperor Constantine the Great as part of his palace.

La basilique de Trèves. Construite vers l'an 300, elle faisait probablement partie du palais de Constantin le Grand.

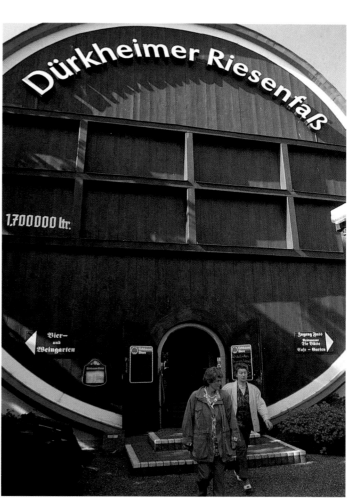

Oben und unten: Jedes Jahr im September steht Bad Dürkheim an der Weinstraße zwei Wochen lang ganz im Zeichen seines Weinfestes.

Top and bottom: Every September, Bad Dürkheim on the Wine Route is under the influence of its wine festival for a period of two weeks.

La fête du vin de Bad Dürkheim, sur la Route allemande des vins, est organisée tous les ans en septembre et dure deux semaines.

Folgende Doppelseite: Bereits im 8. Jahrhundert wurde Freinsheim an der Weinstraße in den Chroniken als Weinbauort verzeichnet.

Following double page: As early as the 8th century, Freinsheim on the Wine Route was recorded as a wine growing area.

Double page suivante: Freinsheim et son vignoble, situés sur la Route des vins, sont déjà mentionnés dans une chronique du VIIIᵉ siècle.

Saarland
Saarland
Sarre

LUXEM-
BURG

RHEINLAND-PFALZ

Mosel

Saar

Saarburg

Zerf

Hermes-
keil

der Hochwald

Prims-Stausee

Hunnenring

Nonnweiler

Naturpark

Saar-

Schwarzwä

Prims

Bostalstausee
Bosen

Nahe

Noh-
felden

Hunsrück

Weiskirchen

Wadern

Peterberg
566

Neunkirchen/Nahe

Losheimer
Stausee

Dagstuhl

Primstal

Namborn

Oberkirchen

Nennig

Orscholz

Saarschleife

Mettlach

Losheim

Prims

Nunkirchen

Prims

Oberthal

Schaumberg
571 Tholey

Bliesen

Borg

Perl

Büschdorf

Bachem

Schmelz

Sotzweiler

Sankt Wendel

Ballern

Hilbringen

Merzig

Bergland

Hüttersdorf

Lebach

Marpingen

Blies

Litermont
413

Dirmingen

Ottweiler

Saargau

Beckingen

Eppelborn

Illingen

Rehlingen

Dillingen

Prims

Merchweiler

Neun-
kirchen

Bexbach

FRANKREICH

Saarwellingen

Friedrichsthal

Blies

Wallerfangen

Leidingen

Saarlouis

Köller-
bach

Sulzbach

Homburg

Bouzon-
ville

Nied

Ens-
dorf

Schwalbach

Riegels-
berg

Dudweiler

Sankt Ingbert

Schwarzenacker

Kirkel

Berus

Wadgassen

Bist

Pütt-
lingen

Oberwürzbach

Nieder-
würzbach

Blieskastel

Zweibrücke

Überherrn

Völklingen

Saar

Saarbrücken

**Mandel-
bach-
tal**

Bliesgau

Blies

Warndt

Forbach

Klein-
blittersdorf

Gersheim
Reinheim

Hab-
kirchen

FRANKREICH

Sarreguemines

0   5 km
N

Das 2567 Quadratkilometer große, dicht besiedelte Saarland trat der Bundesrepublik erst 1957 bei, zwei Jahre, nachdem sich die Bevölkerung in einer Volksabstimmung gegen die seit 1947 bestehende Wirtschaftsunion mit Frankreich ausgesprochen hatte. Die Nähe und die zeitweise Zugehörigkeit zu Frankreich prägen jedoch auch heute noch den Lebensstil und die Kultur des Landes – nicht nur in der Hauptstadt Saarbrücken. Im Lauf der Geschichte war die Saarregion mehr als einmal der Zankapfel zwischen Deutschland und Frankreich gewesen. Streitwert waren die reichen Kohlevorkommen von der Saar bis Neunkirchen und die bedeutende Eisen- und Stahlindustrie. Die Ära der rauchenden Schlote und Hochöfen, lange Zeit Sinnbilder der Saarindustrie, geht zu Ende. Doch das hochindustrialisierte Bundesland ist entschlossen, auch diesen gravierenden Strukturwandel zu meistern.

Unweit der Industrieorte, wo die meisten der rund eine Million Saarländer leben, findet man unvermutet idyllische Flußlandschaften, Wald- und Wiesenterrassen östlich der Saar und die bewaldeten Hügel des Saar-Nahe-Berglandes westlich des Flußtals. Drei Stauseen gibt es im Norden des Landes.

Auch wenn das Saarland als politische Einheit jung ist, seine Geschichte ist alt. Davon erzählen Funde aus der Steinzeit, römische und keltische Ausgrabungen, mittelalterliche Burgen und prunkvolle Barockbauten. Ein Beispiel für die lebendige moderne Kulturszene ist die «Straße der Skulpturen» bei Sankt Wendel, ein 25 Kilometer langer Rundweg mit Plastiken zeitgenössischer Künstler aus aller Welt: Völkerverständigung im Zeichen der Kunst – ein schönes Motiv für ein Grenzland!

The 1,000-square-mile Saarland did not join the Federal Republic until 1957, two years after the population voted in a national referendum against the economic union with France, which had taken effect in 1947. The proximity to and the former attachment with France still mark the way of life and culture of the state – and not just in its capital of Saarbrücken. In the course of its history, the Saar region was more than once the bone of contention between France and Germany. The causes were the rich coal beds between the Saar and Neunkirchen as well as the important iron and steel industries. The era of smoking chimneys and blast furnaces, long the symbol of Saar industry, is ending. Yet the highly industrialized state is determined to master this fundamental change in its structure.

Not far from the industrial areas, where the majority of the approximately one million Saarland inhabitants live, are unsuspected idyllic riverscapes, terraced woods and meadows east of the Saar, and the wooded hills of the Saar-Nahe highlands west of the river valley. Even though the Saarland is young, from the point of view of its political unity, its history is old. Stone age discoveries bear witness to this, as do Roman and Celtic excavations, medieval castles and magnificent baroque buildings. An example of the modern art scene is the «Straße der Skulpturen» (Street of Sculptures) near Sankt Wendel, a 16-mile-long circuit with statues by contemporary artists from all over the world.

Couvrant 2567 kilomètres carrés et densément peuplée, la Sarre ne fait partie de la République fédérale que depuis 1957: deux ans auparavant, la population s'était en effet prononcée lors d'un référendum contre l'union économique qui la liait à la France depuis 1947. La proximité de la France et les phases durant lesquelles la Sarre fut française ont néanmoins laissé des traces dans la culture et le mode de vie – et cela pas uniquement à Sarrebruck, la capitale. Si la France et l'Allemagne se sont à plusieurs reprises disputé la Sarre, c'est notamment du fait de ses riches gisements de charbon et de son importante industrie sidérurgique. Mais l'ère des hauts-fourneaux et des cheminées crachant la fumée est presque révolue, et le Land de Sarre, très industrialisé, est bien décidé à relever le nouveau défi que pose sa restructuration.

Non loin des villes industrielles, où vivent la plupart des quelque 500 000 Sarrois, on est étonné de découvrir de charmants paysages, tels que les forêts et prairies en terrasses s'étirant à l'est de la Sarre, les monts boisés s'élevant à l'ouest de la rivière, ou encore les trois lacs de retenue du nord du Land.

Jeune entité politique, la Sarre possède cependant un long passé historique, comme en témoignent divers vestiges préhistoriques, celtiques et romains trouvés lors de fouilles, ainsi que plusieurs châteaux forts et édifices baroques. Un exemple de la vitalité de l'art moderne en Sarre: la «Route des sculptures», près de Saint-Wendel, le long de laquelle sont exposées des œuvres d'artistes internationaux. L'art vecteur de l'amitié entre les peuples, voilà une bonne idée dans une région frontalière!

Oben und unten: A.
der Saar kann man
sich gutgehenlassen:
sei es im Ausflugsbo
oder in einem Bierg
ten in Saarbrücken.

Top and bottom:
Living is easy along
the Saar: be it on a
boating excursion o
in a Saarbrücken
beer garden.

Il fait bon vivre en
Sarre: on peut y fair
des promenades en
bateau ou savourer
une bière dans un
des Biergärten de
Sarrebruck.

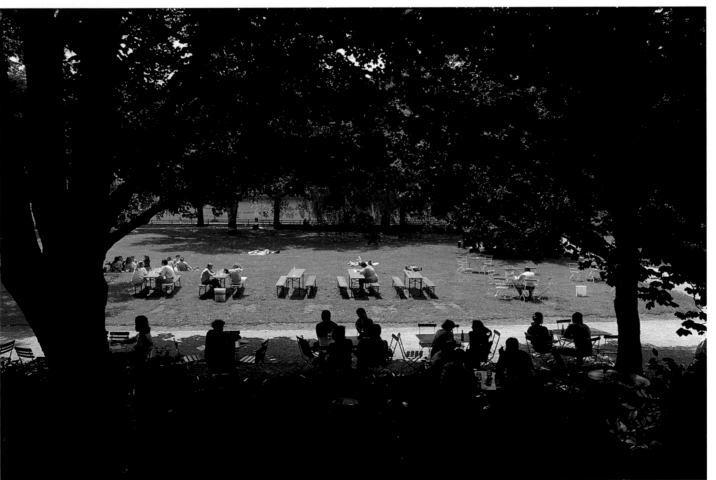

Vorangehende Dop
pelseite: Bei Mettla
im Norden des
Bundeslandes mac
die Saar eine große
Schleife.

Previous double pa
Near Mettlach in t
north of the state, t
Saar makes a large
ox-bow.

Double page précé-
dente: près de
Mettlach, dans le
nord du Land,
la Sarre décrit un
grand méandre.

208

Schloß Villeroy de Galhau in Waller-fangen an der Saar ist im Stil französi-scher Landschlösser des 18. Jahrhunderts erbaut.

Villeroy de Galhau Castle on the Saar, Wallerfangen, was built in the style of 8th century French country manors.

Le château Villeroy de Galhau, à Wallerfangen, dans Sarre, s'inspire des manoirs français du XVIIIᵉ siècle.

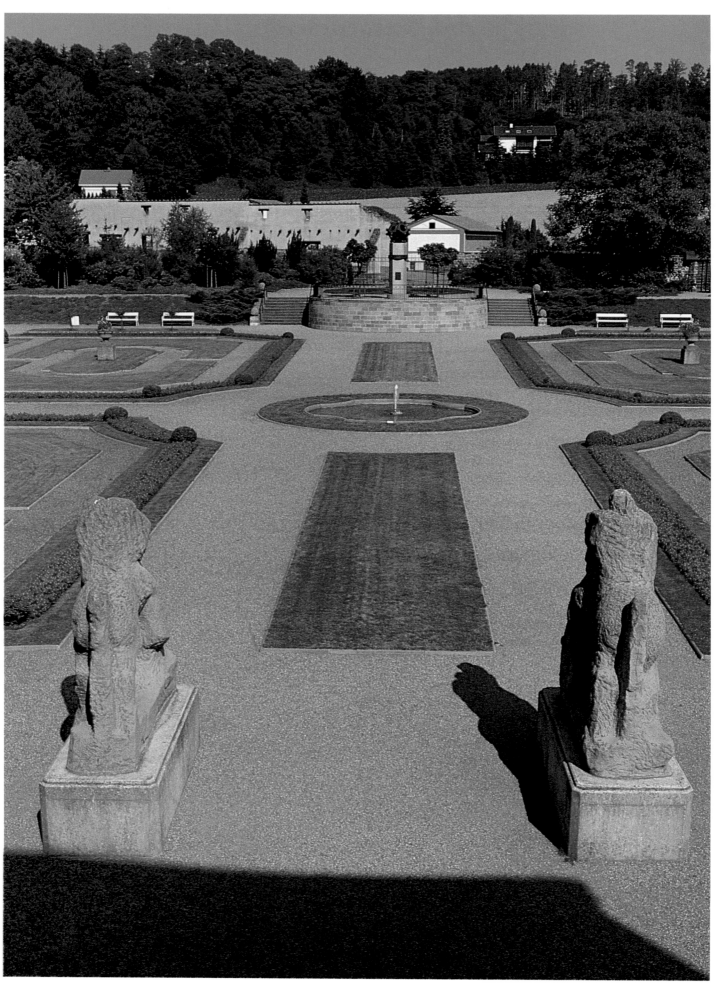

Das Freilichtmuseu[m]
des kleinen Städtch[e]
Schwarzenacker be[i]
Homburg zeigt röm[i]
sche Ausgrabungen[.]

The open-air museu[m]
of the little town of
Schwarzenacker ne[ar]
Homburg displays
Roman excavation[s.]

Le musée de plein a[ir]
de la petite ville de
Schwarzenacker, p[rès]
d'Homburg, expose[r]
des vestiges romain[s.]

Vorangehende Do[p]
pelseite: Ein beliebt[es]
Ausflugsziel der Sa[ar]
länder ist der Bosta[l]
see im Norden des
Bundeslandes.

Previous double pa[ge:]
A popular excursi[on]
destination for the
Saarland inhabita[nts]
is Bostal Lake in th[e]
state's north.

Double page précé-
dente: le lac Bostal[,]
dans le nord du
Land, est un des lie[ux]
d'excursion favoris[és]
des Sarrois.

*nstschätze in Saar-
brücken: Die Alte
*mmlung im Saar-
*ndmuseum (oben)
*d die barocke Lud-
wigskirche (unten).

*Art treasures in
Saarbrücken: The
*ld Collection in the
Saarland Museum
*p) and the baroque
*urch of St. Ludwig
(bottom).*

*mi les trésors artis-
*ues de Sarrebruck:
*sculptures de l'Alte
*mmlung du musée
*la Sarre (en haut),
et l'église baroque
St Louis (en bas).*

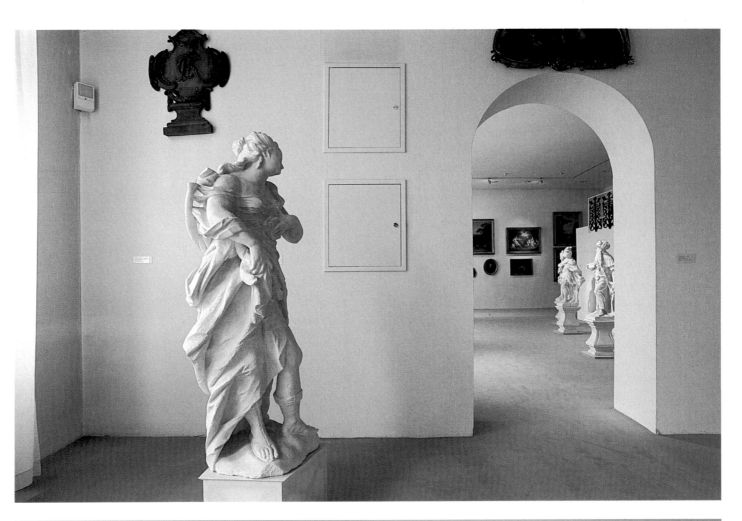

*lgende Doppelseite:
Die Ludwigskirche
*ldet mit den umste-
*enden Barockhäu-
*ern ein schönes Ar-
chitekturensemble.*

*Following double
*age: The Church of
*St. Ludwig and the
*aroque houses form
*charming architec-
tural ensemble.*

*Double page sui-
*ante: St Louis et les
*isons baroques qui
*l'entourent forment
*remarquable com-
plexe architectural.*

Hessen
Hesse
Hesse

NIEDER-
SACHSEN

Göttingen

Mühlhaus

THÜRINGEN

Bad Karlshafen
Trendel-
burg
Hofgeismar
Immenhausen
Volkmarsen
Münden
Witzen-
hausen
Arolsen
Kassel
Bad Sooden-
Allendorf
Wolfhagen
Kaufungen
Groß-
almerode
Eschwege
Werra
Korbach
Baunatal
Hessisch-
Lichtenau
Vöhl
Waldeck
Fritzlar
Gudensberg
Melsungen
Bad Wildungen
Sontra
Frankenberg
Borken
Homberg
Rotenburg
Bebra
Batten-
berg
Jesberg
Burgwald
Treysa
Schwalmstadt
Bad Hersfeld
Bieden-
kopf
Neustadt
Marburg
Kirchhain
Amöneburg
Alsfeld
Burghaun
Tann
Haiger
Dillenburg
Burg
Schlitz
Hünfeld
Herborn
Lauterbach
Großen-
lüder
Fulda
Hilders
Driedorf
Gießen
Vogelsberg
Braunfels
Lich
Wetzlar
Schotten
Grebenhain
Weilburg
Neuhof
Butzbach
Nidda
Limburg
Usingen
Bad
Nauheim
Friedberg
Schlüchtern
Bad Camberg
Büdingen
Bad Soden
Steinau
Neu-
Anspach
Friedrichsdorf
Salmünster
Idstein
Oberursel
Gelnhausen
Bad Orb
Bad Vilbel
Frankfurt
Bad Schwalbach
Kronberg
Bad Soden
Hanau
Wiesbaden
Main
Offenbach
BAYERN
Spessart
Eltville
Rheingau
Neu-
Isenburg
Seligenstadt
Rüdesheim
Rhein
Mainz
Rüsselsheim
Trebur
Aschaffen-
burg
RHEINLAND-
PFALZ
Geisenheim
Dieburg
Groß-
Gerau
Darmstadt
Groß-
Umstadt
Würzburg
Pfungstadt
Gernsheim
Seeheim-
Jugenheim
Main
Biblis
Bürstadt
Reichelsheim
Bergstraße
Bensheim
Michelstadt
Erbach
Lampert-
heim
Heppenheim
BADEN-
WÜRTTEMBERG
Mannheim
Tauber
Ludwigshafen

Möhne-
Stausee
Ruhr
Diemel-
see
NORDRHEIN-
WESTFALEN
Rothaargebirge
Bigge-
Stausee
Eder
Eder-
Stausee
Schwalm
Fulda
Westerwald
Taunus
Odenwald

N

0   20 km

Das 21 114 Quadratkilometer große Bundesland Hessen ist die Verkehrsdrehscheibe Deutschlands: Zu Wasser, zu Land und in der Luft. So mündet südlich der eleganten Landeshauptstadt Wiesbaden der Main in den Rhein, und im Großraum Frankfurt kreuzen sich Europas bedeutende Fernstraßen und internationale Luftfahrtrouten. In diesem urbanen Ballungsgebiet konzentrieren sich auch Hessens Wirtschaft und Industrie, allen voran in der Banken- und Finanzmetropole Frankfurt, der Automobilstadt Rüsselsheim und im Frankfurter Vorort Höchst.

Gleichzeitig ist Hessen aber auch ein traditionsreiches Land, wovon idyllische Fachwerkstädte ebenso berichten wie imposante Kirchenbauten. Das ehemalige Zisterzienserkloster Eberbach bei Eltville im Rheingau gilt als eine der besterhaltenen Klosteranlagen des Mittelalters. In Marburg wurde 1527 die erste protestantische Universität gegründet, während Fulda, die Stadt mit dem großen barocken Dom, eine Hochburg der katholischen Kirche blieb. Ein Mekka der zeitgenössischen Kunst und ihrer Liebhaber ist die ehemalige Residenzstadt Kassel mit der international renommierten «documenta».

Hessen darf sich mit rund 40 Prozent Waldfäche zu den «grünsten» Bundesländern der Republik zählen. Abwechslungsreiche Landschaften bestimmen das Bild: Vom lieblichen Rheingau mit seinen sonnigen Weinlagen zu den waldreichen Hängen des Taunus, vom Vulkanbergland des Vogelsbergmassivs zu den rauhen Basaltkuppen der Rhön. Vom Klima besonders begünstigt sind die Weinbaugebiete am Rhein und Hessens Obstgarten, die Bergstraße, die im Frühling eine einzigartige Blütenpracht entfaltet.

The 8,250-square-mile state of Hesse is Germany's triple traffic junction – by water, land and sea. Thus, south of the elegant state capital of Wiesbaden, the Main has its confluence with the Rhine, and in metropolitan Frankfurt the most important highways and international air routes of Europe cross. In this region, Hesse's business, trade and industry is also concentrated: in the financial metropolis of Frankfurt, the automobile city of Rüsselsheim, and in the Frankfurt suburb of Höchst.

At the same time, Hesse is a state rich in tradition, whose beautiful half-timbered cities and imposing church buildings charm the eye. The former Cistercian cloister of Eberbach in Rheingau is considered one of the best preserved cloisters of the Middle Ages. The first Protestant university was founded in Marburg in 1527, whereas Fulda, the city with the great baroque cathedral, remained a Roman Catholic stronghold. A Mecca of contemporary art and its admirers, however, is the former Residence city of Kassel and its «documenta». Hesse, with its 40 percent sylvan and agrarian surface, can count itself among the «greenest» of states in the republic. Varied landscapes dominate, from gentle Rheingau with its sunny terraced vineyards to the wooded slopes of the Taunus Mountains, from the volcanic Vogelsberg massif to the Rhön's basalt brows. The vineyards on the Rhine and Hesse's fruit garden, the Bergstraße, are especially privileged by the climate, and in spring a unique splendour of blooms unfolds.

La Hesse (21 114 kilomètres carrés et environ 5,5 millions d'habitants) est la plaque tournante du trafic fluvial, routier et aérien en Allemagne: le Rhin et le Main confluent au sud de Wiesbaden, et c'est dans l'agglomération et à l'aéroport de Francfort que se croisent les grandes autoroutes européennes et diverses lignes aériennes internationales. C'est également dans cette mégapole qu'est concentrée l'économie de la Hesse: à Francfort, cité des banques et de la finance; à Rüsselsheim, ville de l'automobile; et à Höchst, banlieue de Francfort où est implantée l'industrie chimique.

Mais la Hesse est aussi un Land qui a derrière lui une longue tradition. On y trouve notamment des églises imposantes, des villes aux nombreuses maisons à colombages, ainsi que l'abbaye cistercienne d'Eberbach dans le Rheingau – l'une des mieux conservées d'Europe. C'est à Marburg que fut fondée en 1527 la première université protestante, alors que Fulda, où s'élève une grande cathédrale baroque, restait un fief de l'église catholique. Quant à Kassel, ancienne résidence princière, elle apparaît aujourd'hui comme une véritable mecque de l'art contemporain, puisque la «documenta» y est en effet organisée tous les quatre ans environ.

Avec quelque 40 pour cent de sa surface occupés par les forêts et les terres agricoles, la Hesse compte parmi les Länder les plus «verts». Les paysages que l'on y rencontre sont très variés: collines boisées du Taunus et vignobles du Rheingau, massifs volcaniques du Vogelsberg et dômes basaltiques de la Rhön. Le climat est par ailleurs favorable aux vignobles des côtes du Rhin et aux nombreux vergers.

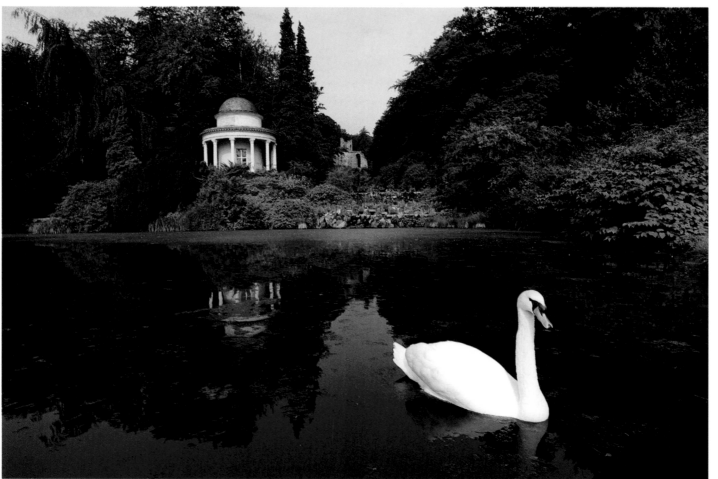

Schloß Wilhelmshöhe in Kassel (oben rechts). Im Schloß-park: die Kaskaden-treppe (oben links) und der Teich mit dem Apollotempel (unten).

Castle Wilhelmshöhe in Kassel (top right). In the Castle's park: the cascading stair-case (top left) and the pond with the temple to Apollo (bottom).

En haut: le château de Wilhelmshöhe (à droite) à Kassel et la cascade en escalier (à gauche) ornant son parc. Ci-contre: le temple d'Apollon, construit en 1818.

Vorangehende Dop-pelseite: Die Fach-werkhäuser am Marktplatz von Fritzlar gehen bis auf das Spätmittelalter zurück, der Brunnen wurde 1564 errichtet.

Previous double page: the half-timbered houses along Fritzlar's market square can be traced back to the Middle Ages; the well was built in 1564.

Double page précé-dente: les maisons à colombages de la place du Marché de Fritzlar datent pour certaines de la fin du Moyen Âge; la fontaine fut érigée en 1564.

*Die malerische Alt-
stadt von Büdingen
bei Frankfurt ist von
einer gut erhaltenen
mittelalterlichen
Stadtmauer umgeben.*

*The picturesque old
town of Büdingen
near Frankfurt is sur-
rounded by a well-
preserved medieval
city wall.*

*La vieille ville de
Büdingen, près de
Francfort, est entourée
de remparts
médiévaux bien
conservés.*

Direkt am Rhein bei Wiesbaden liegt das Barockschloß Biebrich.

The baroque castle of Biebrich near Wiesbaden lies directly on the Rhine.

Le château baroque Biebrich, près de Wiesbaden, se dresse sur les bords du Rhin.

Die Orangerie im Schloßpark der osthessischen Bischofsstadt Fulda.

The Orangery in the castle park of the East Hessian episcopal see of Fulda.

L'orangerie construite dans le parc du château de la ville épiscopale de Fulda.

Die Elisabethkirche in Marburg an der Lahn war das erste n gotische Bauwerk Deutschlands. Sie wurde ab 1235 über n Grab der heiligen Elisabeth errichtet.

e Elizabeth Church in Marburg on the Lahn was the first urely Gothic building in Germany. It as built, starting in 235, over the grave of Saint Elizabeth.

Construite à partir de 1235, l'église Sainte-Élisabeth de Marburg, ville située r la Lahn, est le pre- ier édifice purement gothique érigé en Allemagne.

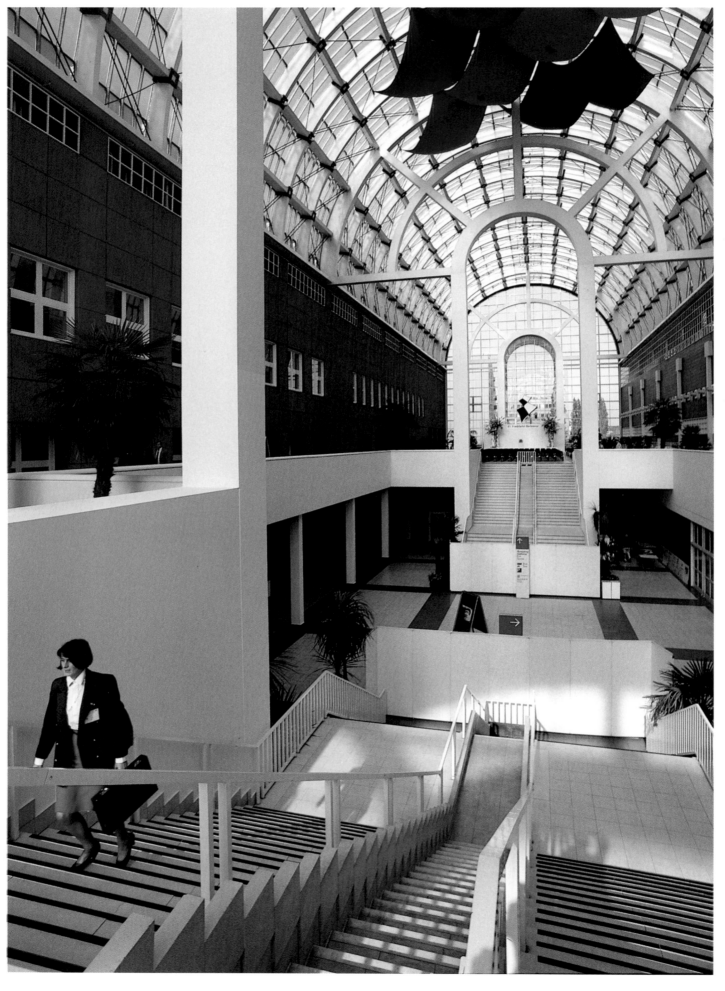

Das Frankfurter
Messegelände zieht
jedes Jahr rund drei
Millionen Besucher
aus aller Welt an.
Publikumsliebling ist
die Buchmesse – und
das bereits seit dem
16. Jahrhundert.

The Frankfurt exhi-
bition site annually
draws three million
visitors from all over
the world. The book
fair has been the pub-
lic's favourite since
16th century.

Près de trois millions
de visiteurs du monde
entier se rendent
chaque année au parc
des expositions de
Francfort où a lieu
entre autres la célèbre
foire du livre, qui
existe depuis le
XVIᵉ siècle.

Oben: Das Kaiser-
Wilhelm-Bad in
Bad Homburg.
Unten: Der völlig
rekonstruierte Römer-
berg mit dem goti-
schen Rathaus im
Herzen Frankfurts.

Top: The Emperor
Wilhelm Baths in
Bad Homburg.
Bottom: The com-
pletely reconstructed
Römerberg with the
Gothic Town Hall
in Frankfurt.

Ci-dessus: le Kaiser-
Wilhelm-Bad, éta-
blissement thermal
de Bad Homburg.
Ci-dessous: le Römer,
hôtel de ville gothique
de Francfort, recons-
truit après la guerre.

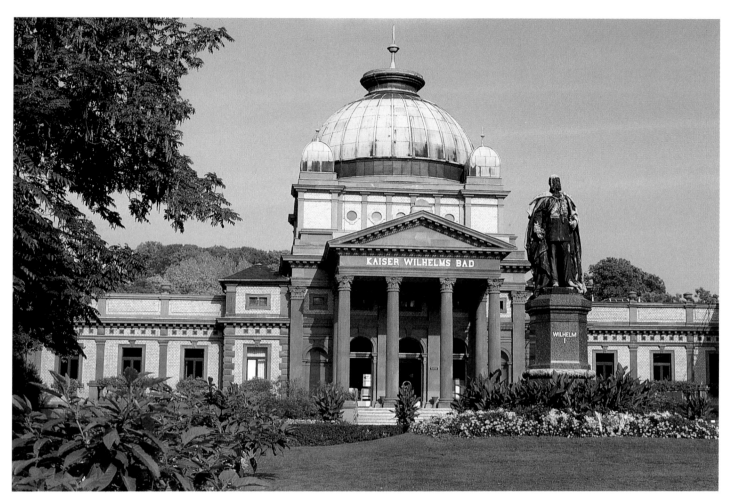

Folgende Doppel-
seite: «Manhattan
am Main», Banken-
hochhäuser in der
Frankfurter City.

Following double
page: «Manhattan
on the Main», ban-
king skyscrapers in
the city centre of
Frankfurt.

Double page sui-
vante: «Manhattan-
sur-le-Main» ou les
gratte-ciel du centre
de Francfort.

Das klassizistische
Wiesbadener Kur-
haus wird heute gern
für repräsentative
Anlässe genutzt.

Wiesbaden's classic
spa building often
serves for special
events.

L'établissement ther-
mal de Wiesbaden,
de style néo-classiqu
offre aujourd'hui un
cadre somptueux
à divers types de
manifestations.

Die Sektkellerei
Henkell in Wiesbad
ließ sich zu Beginn a
20. Jahrhunderts di
sen prunkvollen Ma
morsaal errichten.

The champagne
cellars of Henkell in
Wiesbaden had this
splendid marble hal
built at the beginnin
of the 20 th century.

Salle de marbre pres
gieuse, aménagée au
début du siècle à
Wiesbaden par les
caves Henkell, fabri
cant de vin mousser

Rüdesheim ist für viele der Inbegriff einer romantischen Weinstadt am Rhein und lockt deshalb auch zahlreiche Besucher an.

For many, Rüdesheim is the quintessence of a romantic wine city on the Rhine – and therefore attracts tourists in droves.

Rüdesheim, ville romantique, située au cœur d'un célèbre vignoble des côtes du Rhin: deux atouts qui lui valent la faveur des touristes.

Folgende Doppelseite: Über den Weinhängen von Kiedrich im Rheingau thront die mittelalterliche Burgruine Scharfenstein.

Following double page: the medieval castle ruins of Scharfenstein sit in state over the sloping vineyards of Kiedrich in Rheingau.

Double page suivante: ruines du château médiéval de Scharfenstein, dominant le vignoble de Kiedrich, dans le Rheingau.

229

Thüringen
Thuringia
Thuringe

■ Buchstäblich im Zentrum der Bundesrepublik – als exakte geographische Mitte gilt ein Punkt auf einer Wiese bei Mühlhausen – liegt das 16 251 Quadratkilometer große Thüringen. Wenn seine 2,5 Millionen Einwohner ihre Heimat gern liebevoll das «grüne Herz Deutschlands» nennen, meinen sie damit jedoch nicht nur den Thüringer Wald, sondern auch all die anderen waldreichen Mittelgebirgslandschaften zwischen der Rhön und dem Harz, vom Werratal bis zum Vogtland.

Das Kerngebiet Thüringens ist das landwirtschaftlich intensiv genutzte Thüringer Becken mit der Landeshauptstadt Erfurt, die an einer seit altersher wichtigen Handelsroute liegt. Entlang dieser Ost-West-Achse reihen sich Städte, deren Namen untrennbar mit deutscher Kultur verbunden sind: Eisenach mit der Wartburg, wo Martin Luther von 1521 bis 1522 lebte; die alte Residenzstadt Gotha; Erfurt, dessen Universität (1392–1816) ein Mittelpunkt des Humanismus und der Reformation war; und Weimar, das Zentrum der deutschen Klassik, wo Herder, Goethe, Schiller und Wieland wirkten. Heute spielen diese Städte als Standorte von Industrie und Handwerk eine bedeutende Rolle für Thüringens Wirtschaft, die durch die optischen Erzeugnisse aus Jena schon früh zu internationalem Ansehen gelangte.

Daß Thüringen jahrhundertelang das Musterland deutscher Kleinstaaterei war, zeigen die zahllosen Städte und Städtchen mit einer Burg, einem Schloß oder einem Herrensitz: Lohnende Ziele für den Fremdenverkehr, der sich bislang vor allem auf den Thüringer Wald konzentrierte. Übrigens bieten seine Höhen nicht nur herrliche Wanderwege, sondern auch ausgezeichnete Wintersportmöglichkeiten.

■ Literally in the centre of the Federal Republic – the exact geographical centre is considered to be a meadow near Mühlhausen – is 6,350-square-mile Thuringia. When its 2.5 million inhabitants lovingly refer to their homeland as «Germany's green heart», they mean not only the Thuringian Forest but all the mountain landscapes between the Rhön and the Harz, the Werra Valley and the Vogtland as well.

The nucleus of Thuringia is the extensively cultivated Thuringia Basin, together with the state capital of Erfurt, which is located on the trade axis from Thuringia Pforte to Saxony – an axis of importance since ancient times. Cities whose names cannot be separated from German culture cluster along this east-west axis: Eisenach with the Wartburg, where reformer Martin Luther lived from 1521 to 1522; the old Residence city of Gotha; Erfurt, whose university (1392–1816) was the centre of Humanism and the Reformation; and Weimar, the centre of German classicism, the realm of Herder, Goethe, Schiller and Wieland. Today, as sites for crafts and industry, all these cities play an important role in Thuringia's economy, which early won great international respect arising from Jena's optical products. The numerous cities and villages with a castle, palace or manor house bear witness to the fact that for centuries Thuringia was the model land of particularism: worthy destinations for tourism, which until now has focussed on the Thuringian Forest with its splendid hiking paths and winter sports opportunities.

■ S'étendant sur 16 251 kilomètres carrés, la Thuringe est au cœur de la République fédérale – dont le centre géographique se trouve dans un champ près de Mühlhausen, au nord-ouest du Land. Lorsque les habitants de Thuringe (2,5 millions) qualifient leur pays de «cœur vert de l'Allemagne», ils ne pensent pas uniquement à la forêt du massif du Thüringer Wald, mais aussi à celles qui s'étendent entre la vallée de la Werra et le Vogtland, et à celles qui couvrent les reliefs du Harz et de la Rhön.

C'est dans le bassin de Thuringe, où l'on pratique l'agriculture intensive, que se trouve la capitale: Erfurt. Cette ville est située sur une importante voie de communication, reliant depuis des temps immémoriaux les portes de Thuringe à Chemnitz, en Saxe. Le long de cet axe est-ouest s'égrènent des villes qui ont marqué en profondeur la culture allemande: Eisenach et le château de Wartburg, où Martin Luther séjourna en de 1521 à 1522; Gotha, ancienne résidence princière; Erfurt, dont l'université (1392–1816) fut un des foyers de l'Humanisme et de la Réforme; et enfin Weimar, centre du Classicisme allemand, où s'illustrèrent Herder, Goethe, Schiller et Wieland. Ces villes jouent aujourd'hui un rôle important dans l'économie de la Thuringe – dont les productions sont appréciées depuis longtemps dans le monde entier, en particulier les appareils optiques fabriqués à Iéna.

Les innombrables châteaux, manoirs et châteaux forts disséminés dans le pays, illustrant l'éclatement du pouvoir politique qui caractérisa l'Allemagne pendant des siècles, sont aujourd'hui des attractions touristiques. Le massif du Thüringer Wald offre des sentiers de randonnée et des pistes de ski.

Oben: Goethes Hau
im Ilmpark in
Weimar. Unten:
Das Geburtshaus v
Johann Sebastian
Bach in Eisenach is
heute ein Museum.

Top: Goethe's hous
in Ilmpark in
Weimar. Bottom:
The birth house of
Johann Sebastian
Bach in Eisenach is
now a museum.

Ci-dessus: maison
de Goethe dans
l'Ilmpark à Weima
Ci-dessous: maison
natale de J.-S. Bach
à Eisenach, abritan
aujourd'hui un
musée.

Vorangehende Dop
pelseite: In der mitt
alterlichen Wartbu
bei Eisenach überse
te Martin Luther a
erster das Neue Tes
ment ins Deutsche.

Previous double pa
In the medieval
Wartburg near
Eisenach, Martin
Luther was the first
to translate the
New Testament
into German.

Double page précé-
dente: c'est au châte
de Wartburg, près
d'Eisenach, que
Luther réalisa la
première traduction
en allemand du
Nouveau Testamer

Erfurt war im 14.
und 15. Jahrhundert
eine der bedeutendsten
Städte Deutschlands.
Der zwischen 1154
und 1465 entstande-
ne Dom ist berühmt
für seine farbenpräch-
tigen Glasfenster.

In the 14th and 15th
centuries, Erfurt was
one of the most im-
portant cities in
Germany. The cathe-
dral, built between
1154 and 1465, is
famed for its stained
glass windows.

La cathédrale
d'Erfurt, construite
entre 1154 et 1465,
est célèbre pour ses vi-
traux. Aux XIVᵉ et
XVᵉ siècles, Erfurt
était une des villes
les plus importantes
d'Allemagne.

Oben: Der Dom-
platz von Erfurt
ist von Fachwerk-
häusern umgeben.
Unten: Altenburg
feierte 1989 seinen
1000. Geburtstag.

Top: The Cathedral
Square in Erfurt is
surrounded by half-
timbered houses.
Bottom: Altenburg
celebrated its 1000t
anniversary in 198

Ci-dessus: maisons
colombages sur la
place de la cathédra
d'Erfurt.
Ci-dessous: en 198
Altenburg a fêté son
millénaire.

Vorangehende Dop
pelseite: Weimar w
zu Goethes Zeit das
Zentrum des deut-
schen Geisteslebens.
Die Zentralbiblioth
umfaßt annähernd
80 000 Bände.

Previous double pa
In Goethe's time,
Weimar was the
centre of German
intellectual life. The
central library con-
tains approximately
80,000 volumes.

Double page précé-
dente: 80 000 vo-
lumes sont rassemb
à la bibliothèque cer
trale. À l'époque de
Goethe, Weimar éta
le centre spirituel de
l'Allemagne.

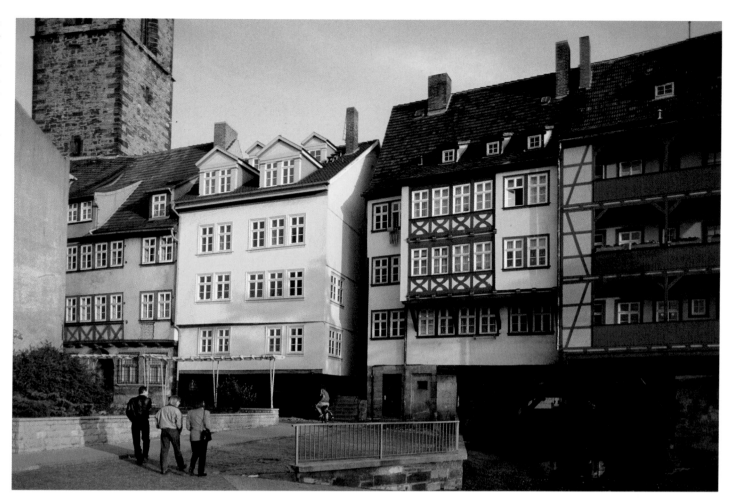

Die 32 Fachwerkhäuser auf der Erfurter Krämerbrücke stammen aus dem 17. bis 19. Jahrhundert. Die Brücke selbst wurde bereits 1156 erwähnt.

The 32 half-timbered houses on Erfurt's Krämerbrücke are from the 17th to 19th centuries. The bridge itself was mentioned as early as 1156.

Les 32 maisons à colombages de la Krämerbrücke, à Erfurt, construites entre le XVIIᵉ et le XIXᵉ siècle. Le pont est cité dès 1156.

Viele Kleinstädte Thüringens, wie Schmölln, haben sich ihren dörflichen Charakter bewahrt.

Many of Thuringia's small towns, such as Schmölln, have retained their rustic character.

Nombreuses petites villes de Thuringe, comme Schmölln, ont conservé leur aspect villageois.

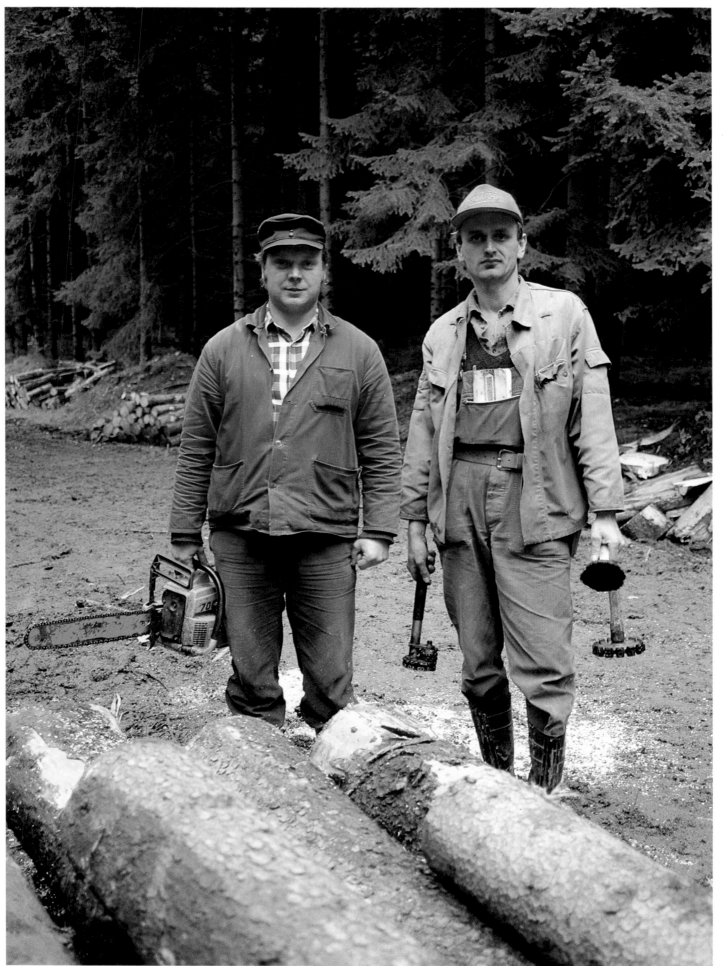

Thüringen gilt als ei[n]
Land mit einer lang[en]
Tradition qualifizie[r]
ter Forstleute.

The state of Thuring[ia]
is noted for its long
tradition of qualifie[d]
foresters.

Les bûcherons et les
gardes forestiers de
Thuringe sont renom[-]
més depuis toujours[.]

Vorangehende Dop[-]
pelseite: Das Renai[s-]
sance-Rathaus von
Gotha wird von B[ür-]
gerhäusern aus dem
16. bis 19. Jahrhun[-]
dert flankiert.

Previous double pa[ge:]
Town Hall of the ol[d]
Residence city of
Gotha is flanked by
town houses dating
from the 16 th to
19th centuries.

Double page précé-
dente: l'hôtel de vill[e]
Renaissance de
Gotha, flanqué de
maisons bourgeoise[s]
construites entre le
XVI[e] et le XIX[e] siè[cle.]

Rechts, links und unten: Impressionen vom Rennsteig. Der Wanderweg hoch auf dem Kamm des Thüringer Waldes ist 168 Kilometer lang.

Right, left and bottom: Impressions of Rennsteig. The hiking path high on the ridge of the Thuringian Forest is exactly 105 miles long.

À droite, à gauche et en bas: le Rennsteig est un célèbre chemin de crêtes qui traverse le massif du Thüringer Wald, parcourant 168 kilomètres.

Folgende Doppelseite: Schafe erfreuen sich an den satten Weiden im Thüringer Wald.

Previous double page: Sheep enjoy the rich grazing in the Thuringian Forest.

Double page suivante: moutons dans les pâturages du Thüringer Wald.

245

Sachsen
Saxony
Saxe

BRANDENBURG

POLEN

Spree

Cottbus

Forst

Bad Muskau

Weißwasser

Schwarze Elster

Lausitzer Neisse

Lutherstadt Wittenberg

Dessau

SACHSEN-ANHALT

Elbe

Herz-berg

Schwarze Elster

Hoyerswerda

Halle

Bad Düben

Torgau

Belgern

Gröditz

O b e r l a u s i t z

Delitzsch

Eilen-burg

Wurzen

Strehla

Zeithain

Königs-wartha

Spree

Taucha

Königsbrück

Kamenz

Görlitz

Leipzig

Oschatz

Riesa

Großenhain

Pulsnitz

Bautzen

Markkleeberg

Grimma

Mulde

Moritz-burg

Königsbrück

Bischofswerda

Neukirch

Löbau

Zwenkau

Bad Lausick

Meißen

Elbe

Lausitzer Bergland

Herrnhut

Böhlen

Rötha

Pegau

Borna

Colditz

Döbeln

Dresden

Stolpen

Ebers-bach

Meusel-witz

Gnandstein

Rochlitz

Zschopau

Pirna

Zittauer Gebirge

Zittau

Alten-burg

Weesen-stein

Sächsische Schweiz

Schmölln

Franken-berg

Freiberg

Dippoldis-walde

Děčín (Tetschen)

Chemnitz

Frauenstein

e

g

Gera

Glauchau

Augustusburg

Grünhainichen

Zwickau

Zschopau

Teplice (Teplitz-Schönau)

THÜRINGEN

Stollberg

Olbern-hau

Seiffen

g

Mylau

Annaberg-Buchholz

e

Lengenfeld

Schneeberg

Aue

Schwarzen-berg

n

Lovosice (Lobositz)

Plauen

Auerbach

z

Chomutov (Komotau)

Most (Brüx)

Weiße Elster

Zwickauer Mulde

E

Oelsnitz

Klingenthal

Hof

Markneukirchen

Prag

Ohře (Eger)

BAYERN

Cheb (Eger)

TSCHECHISCHE REPUBLIK

Markt-redwitz

0   20 km

N

■ Der Freistaat Sachsen gehört mit 18 300 Quadratkilometern Fläche zu den kleinsten Bundesländern Deutschlands, mit seinen rund 4,5 Millionen Einwohnern hingegen zu den am dichtest besiedelten Regionen Europas. «Florenz an der Elbe» und «Perle des Barock»: So schwärmten Generationen über die sächsische Hauptstadt Dresden, die seit dem Regierungsantritt August des Starken (1670–1733) zu einer europäischen Metropole ersten Ranges ausgebaut wurde. Trotz der nicht wiedergutzumachenden Kriegszerstörungen rechnet man Dresden heute wieder zu den großen Kunst- und Kulturstädten, wozu seine großartigen Museen ebenso beitragen wie die schön restaurierten Baudenkmäler.

Von Sachsens Blütezeiten zeugen noch viele andere historische Städte wie Bautzen, Freiberg, Görlitz oder Meißen, dessen Porzellanmarke mit den «Blauen Schwertern» weltberühmt ist. Internationales Ansehen genießt selbstverständlich auch Leipzig: als Messe- und Handelsstadt – und durch die Konzerte von Gewandhausorchester und Thomanerchor. Bedeutende Industriestädte sind Chemnitz und Zwickau am Nordrand des Erzgebirges, der ehemals so bedeutendenden sächsischen Bergbauregion.

Doch Sachsen ist nicht nur Wirtschaft, Kunst und Kultur, es ist einfach auch ein schönes Land: Mit den einzigartigen Felsformationen der Sächsischen Schweiz, den Weinbergen des Elbtals zwischen Dresden und Meißen, den von mittelalterlichen Burgen bewachten Tälern der Flüsse Mulde, Zschopau oder Elster, der herb-schönen Bergwelt des Erzgebirges, der Oberlausitz mit ihren ausgedehnten Teich- und Waldlandschaften, dem lieblichen Lausitzer Bergland oder dem zerklüfteten Zittauer Gebirge.

■ The 7,200-square-mile Free State of Saxony is one of the smallest states in Germany, but its approximately 4.5 million inhabitants make it one of the most populous regions in Europe. «Florence on the Elbe» and «Pearl of the Baroque» and: generations have enthused thus over the Saxon capital of Dresden, which, consequent upon the accession to the throne of Augustus the Strong (1670–1733), became an eminent European metropolis. Despite irreparable destruction during the war, Dresden is again considered one of the great art and cultural cities, with splendid museums and some well restored buildings.

Many other historical cities bear witness to Saxony's heyday, such as Bautzen, Freiberg, Görlitz and Meissen, whose porcelain mark with the «Blue Swords» is known the world over. Leipzig of course enjoys international respect, as a trade fair and trading city – as well as for the concerts performed by the Gewandhaus orchestra and Thoman choir. Chemnitz and Zwickau are important industrial cities on the northern edge of the Erz Mountain Range, formerly Saxony's important mining centre. But Saxony is not just business, art and culture, it is quite simply a beautiful country, displaying the unique cliff formations of Saxon Switzerland, the Elbe valley vineyards between Dresden and Meissen, the valleys of the Mulde, Zschopau and Elster rivers, guarded by medieval castles, the Oberlausitz with its extensive landscape of ponds and woods, the gentle Lausitz mountain regions and the Zittau Mountain Range.

■ Ne couvrant que 18 300 kilomètres carrés, l'«État libre» de Saxe est certes l'un des plus petits Länder de République fédérale, mais avec une population d'environ 4,5 millions d'habitants, il compte parmi les régions les plus densément peuplées d'Europe. Dresde, la capitale saxonne, a pendant longtemps été qualifiée de «perle du Baroque» et de «Florence de l'Elbe». C'est Auguste le Fort (1670–1733) qui eut l'initiative des travaux qui allaient faire de Dresde une des belles villes européennes. La guerre a causé des dommages irréparables, mais Dresde compte toujours parmi les grandes métropoles culturelles, notamment grâce à ses remarquables musées et ses monuments superbement restaurés.

Nombreuses sont les autres villes qui témoignent de l'âge d'or de la Saxe: citons seulement Bautzen, Freiberg, Görlitz et Meissen, dont la porcelaine «aux épées entrecroisées» est célèbre dans le monde entier. Quant à Leipzig, sa réputation internationale vient des foires qui y sont organisées et des concerts qui y sont donnés par l'orchestre du Gewandhaus et le chœur de Saint-Thomas. Chemnitz et Zwickau, les principales villes industrielles, sont pour leur part situées à la périphérie nord des monts Métallifères, la région saxonne où se concentraient autrefois les activités d'extraction minière.

Mais la Saxe ne se résume pas à son économie, à son art et à sa culture, la nature y est également superbe: formations rocheuses de la Suisse saxonne, vignobles des côtes de l'Elbe entre Dresde et Meissen, vallées de la Mulde, de la Zschopau et de l'Elster, monts Métallifères, paysages de Haute-Lusace couverts de forêts et parsemés d'étangs, montagnes gracieuses de Lusace ou monts déchiquetés de Zittau.

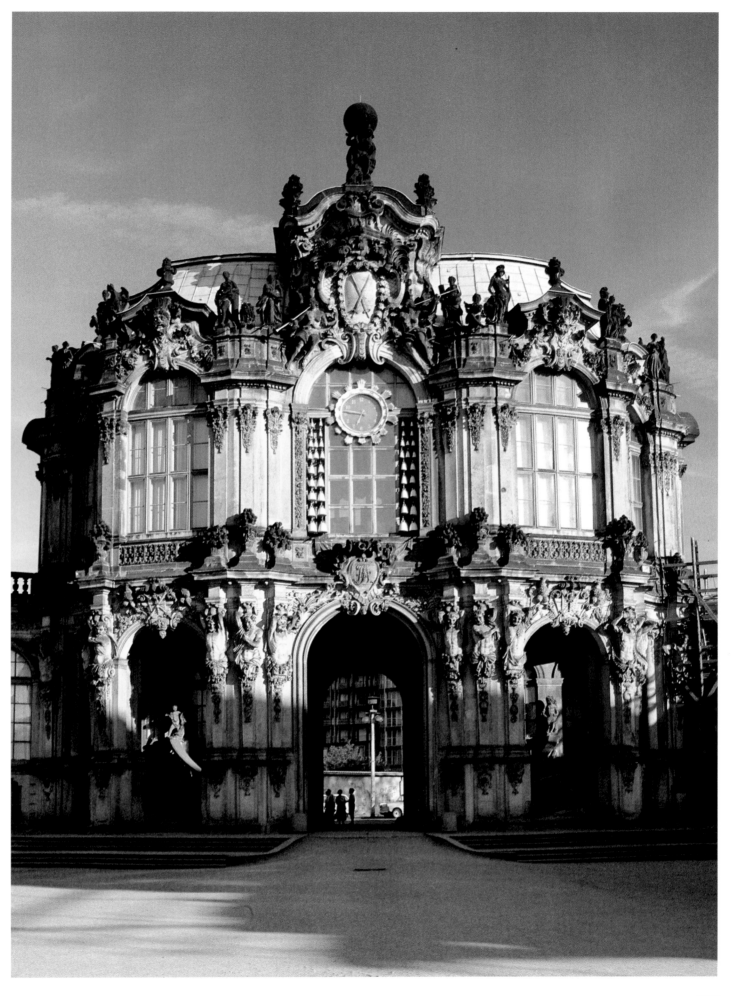

er Dresdner Zwin-
eine der berühmte-
ten Barockanlagen
er Welt, wurde von
1711 bis 1728 als
Festanlage für höfi-
che Spiele und Tur-
niere errichtet. Im
Bild der Glocken-
spielpavillon.

Dresden's Zwinger,
one of the most fa-
mous baroque facil-
es in the world, was
built between 1711
and 1728 for court
games and tourna-
ents. In the picture,
the Glockenspiel
pavilion.

Le Zwinger, à
resde, l'un des édifi-
es baroques les plus
èbres au monde, fut
onstruit entre 1711
1728 pour y orga-
niser les fêtes de la
our. Ici, le pavillon
Glockenspiel.

Der Große Saal im
Neuen Gewandhau
in Leipzig bietet 19
Besuchern Platz un
wird für seine gute
Akustik gerühmt.

The Great Hall in
Leipzig's Neues
Gewandhaus, re-
nowned for its
acoustics, seats up
to 1,900 visitors.

La grande salle du
Neues Gewandhau
de Leipzig. Elle peu
accueillir 1900 per-
sonnes et est célèbre
pour son excellente
acoustique.

Vorangehende Dop
pelseite: Das Baroc
schloß Pillnitz bei
Dresden ließ Augu.
der Starke für seine
Geliebte, die Gräfir
Cosel, errichten.

Previous double pa,
Augustus the Stror
had the baroque cas
Pillnitz on the out-
skirts of Dresden bi
for his mistress,
Countess Cosel.

Double page précé-
dente: le château de
Pillnitz, à la péri-
phérie de Dresde, fi
construit par l'Élec-
teur Auguste le For.
pour sa maîtresse,
la comtesse Cosel.

*s Leipziger Opern-
haus von 1959/60
rbindet klassizisti-
sche Elemente mit
der Architektur der
fünfziger Jahre.*

*pzig's Opera, built
1959/60 combines
sical elements with
950's architecture.*

*'opéra de Leipzig.
onstruit en 1959 et
1960, il associe des
nents classiques au
le architectural des
années cinquante.*

*e festliche Beleuch-
tung läßt die kühle
chitektur des 1981
ngeweihten Neuen
Gewandhauses in
Leipzig erstrahlen.*

*e cool architecture
of Leipzig's Neues
wandhaus, opened
in 1981, appears
radiant with this
tive illumination.*

*auguré en 1981, le
eues Gewandhaus
e Leipzig, perd un
de sa froideur lors-
qu'il est illuminé.*

Diese Handwerksge
sellen in Leipzig tra
gen noch die typisch
Berufstracht der vo
Stadt zu Stadt zieh
den Zimmerleute.

These journeymen i
Leipzig still wear th
typical costume of
their trade, that of
carpenters journeyin
from town to town.

Compagnons char-
pentiers en habits tr
ditionnels. Ils vont
ville en ville, et ont
photographiés ici à
Leipzig.

Vorangehende Dop
pelseite: Blick auf d
Innenstadt Leipzig
wo mit dem Ruf
«Wir sind das Volk
im Oktober 1989 d
Aufbruch in die De
mokratie begann.

Previous double pa,
View of Leipzig,
where, in October
1989, the cry, «We
the people» paved tl
way to democracy.

Double page précé-
dente: vue du centre
de Leipzig. C'est ic
qu'en octobre 1989
les manifestants
criant «Le peuple, c
nous» ouvrirent la
voie à la démocrati

260

*Ihre eigene Sprache
und Kultur hat die
ʒwische Minderheit
der Sorben bewahrt,
die in Sachsen in der
Oberlausitz leben.*

*The Slavic Sorbish
minority living in
Oberlausitz has re-
tained its own lan-
guage and culture.*

*s Sorabes, minorité
slave, ont conservé
galement en Haute-
usace leur langue et
leur culture.*

*Die ehemalige DDR
hatte die Sorben als
hnische Minderheit
anerkannt und ihre
aditionen gefördert.*

*The former East
German Democratic
Republic had recog-
ized the Sorbs as an
ethnic minority and
promoted their
traditions.*

*L'ex-RDA avait re-
nnu aux Sorabes le
statut de minorité
ethnique et les avait
ncouragés à cultiver
leurs traditions.*

Den historischen
Markt der Porzella
stadt Meißen säum
Bürgerhäuser aus
Renaissance und
Neorenaissance.

The historical mark
of the porcelain city
Meissen, with its
Renaissance and
Neo-Renaissance
town houses.

Maisons bourgeois
de style Renaissance
néo-Renaissance ar
tour de la place du
Marché de Meissen
ville célèbre pour sa
porcelaine.

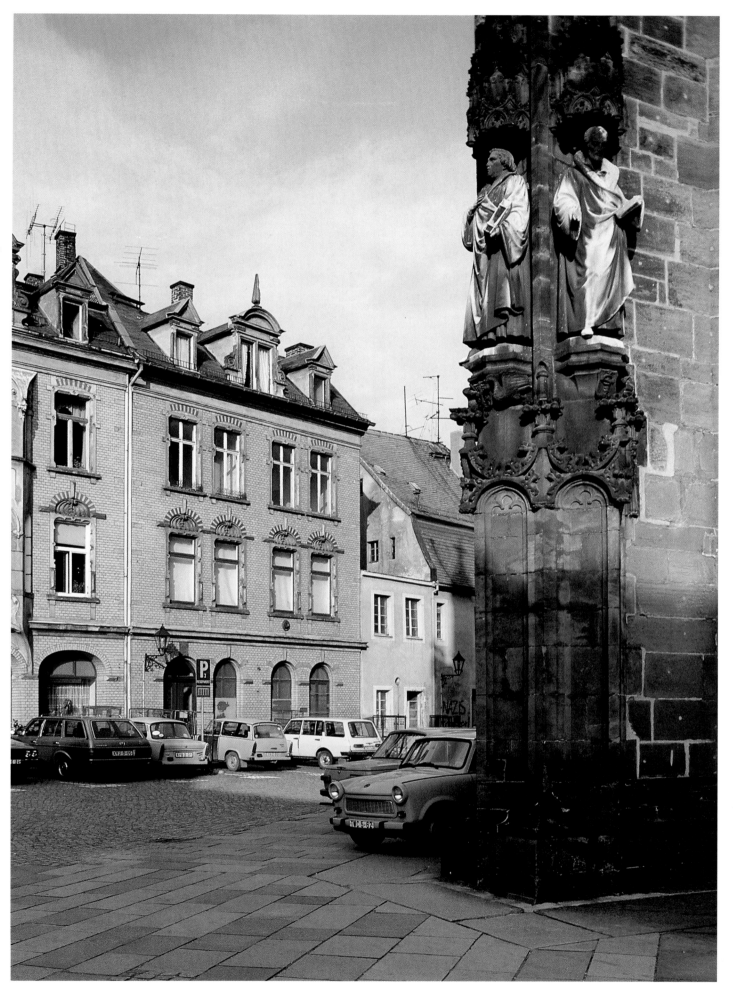

Die Statuen der Reformatoren Martin Luther und Philipp Melanchthon (rechts) am spätgotischen St.-Marien-Dom von Zwickau stammen aus dem 19. Jahrhundert.

The statues of the reformers Martin Luther and Philipp Melanchthon (right) on the Late Gothic St. Mary's Cathedral of Zwickau date from the 19th century.

De style gothique flamboyant, la cathédrale Sainte-Marie de Zwickau est ornée de statues des Réformateurs Martin Luther et Philipp Melanchthon (à droite), datant du siècle dernier.

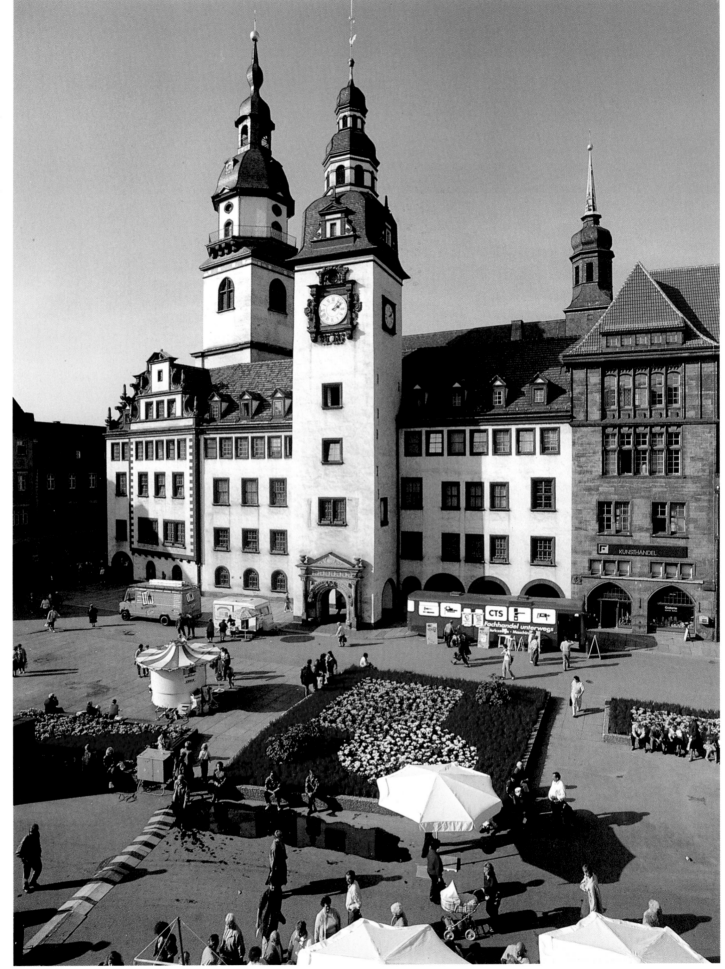

Das Alte Rathaus
von Chemnitz wurde
in spätgotischer Zeit
gebaut und erhielt das
reiche Renaissance-
portal am Turm als
besonderen Schmuck.

The Old Town Hall
in Chemnitz was
built in the Late
Gothic period; the
rich Renaissance
portal was a special
tower ornamentation.

L'ancien hôtel de
ville de Chemnitz, fut
construit à la fin de
l'époque gothique;
le portail de la tour,
richement décoré, est
de style Renaissance.

Folgende Doppelseite:
In der Lausitz im
Osten Sachsens wird
zum Teil noch
mit traditionellen
Methoden Landwirt-
schaft betrieben.

Following double
page: In the Lausitz
in Saxony's east,
traditional agrarian
methods are some-
times still followed.

Double page sui-
vante: l'agriculture
traditionnelle a survé-
cu dans la Lusace, ré-
gion à l'est de la Saxe.

Bayern
Bavaria
Bavière

■ Der Freistaat Bayern ist mit einer Fläche von 70550 Quadratkilometern und bald zwölf Millionen Einwohnern das größte Land der Bundesrepublik und eine ihrer beliebtesten Ferienregionen. Allein die Landeshauptstadt München lockt mit ihren Kunstschätzen und dem Oktoberfest alljährlich Hunderttausende von Besuchern aus aller Welt an. Daß die süddeutsche Metropole außerdem eine bedeutende Industriestadt und das Medienzentrum der Republik ist, wissen meist nur Insider.

Bayern ist traditionell ein Agrarland, von den Almen und Weiden der Alpen im Süden bis zu den fränkischen Weinbaugebieten im Norden. Daran hat auch die in moderner Zeit wirtschaftlich wichtigere High-Tech-, Elektro- und Automobilindustrie letztlich nichts geändert. Über die Hälfte der Landesfläche wird landwirtschaftlich genutzt, ein weiteres Drittes ist Waldland. Damit wirbt man auch um Gäste. Sie zieht es in die Alpen mit Deutschlands höchstem Berg, der Zugspitze, ins Chiemgau und zu den oberbayerischen Badeseen, an die Flußauen von Donau und Main und in die wildromantischen Mittelgebirgslandschaften von Bayerischem Wald, Fränkischer Alb oder Spessart.

Darüber hinaus ist Bayern ein Juwel für Kunstliebhaber: Mit seinen imposanten mittelalterlichen Domen, barocken Klöstern, lichtdurchfluteten Rokokokirchen, klassizistischen Monumentalbauten und Märchenschlössern. Ob in Bischofsstädten wie Regensburg, Bamberg und Würzburg oder alten Reichsstädten wie Augsburg und Nürnberg – es gibt viel zu entdecken in diesem Land, dessen Menschen sich seit jeher mehr zum lebensfrohen Süden als zum (vermeintlich) kühleren Norden hin orientierten.

■ The Free State of Bavaria, with its surface area of 27,600 square miles and almost twelve million inhabitants, is the largest state in the Federal Republic and one of its favourite holiday regions. The capital of Munich alone, because of its art treasures and the Oktoberfest, annually draws hundreds of thousands of visitors from all over the world. That the metropolis is also an important industrial city and media centre of the Republic is usually known only to insiders.

From the Alps to the Franconian wine growing areas, Bavaria is traditionally an agricultural state. The more important high-tech electronic and automobile industries have changed nothing of this. Over half the surface is used for agrarian purposes, while a third is woodland. And this is how the guests are wooed and won! They are drawn to Germany's highest mountain, the Zugspitze, to Chiemgau and the Upper Bavarian lakes, along the Danube and Main and the wildly romantic highlands of the Bayerischer Wald, the Fränkische Alb and Spessart. In addition to all this, Bavaria is a gem for art lovers: imposing medieval cathedrals, baroque cloisters, light-flooded rococo churches, classical monumental buildings and fairy-tale castles abound. In the bishops' sees such as Regensburg, Bamberg and Würzburg, or old imperial cities such as Augsburg and Nuremberg: there is much to discover in Bavaria, whose inhabitants have always oriented themselves more to the zestful south than to the (allegedly) cooler north.

■ Avec une superficie de 70550 kilomètres carrés et près de douze millions d'habitants, l'«État libre» de Bavière est le plus grand des Länder de République fédérale. C'est aussi la région la plus touristique d'Allemagne: grâce à ses trésors artistiques et sa fête de la bière, Munich, la capitale, attire à elle seule tous les ans des centaines de milliers de visiteurs. Le fait que cette métropole du sud de l'Allemagne soit aussi une grande ville industrielle et le centre médiatique du pays est moins connu du grand public.

Traditionnellement, la Bavière est un pays agricole, depuis les alpages du sud jusqu'aux vignobles de Franconie. C'est encore vrai aujourd'hui, même si des secteurs comme les industries de pointe et la construction automobile ont désormais un plus grand poids économique. Une moitié du territoire à vocation agricole, un autre tiers couvert de forêts: voilà de bons arguments touristiques, auxquels il convient d'ajouter les Alpes – avec la Zugspitze, le point culminant d'Allemagne –, le Chiemgau et les lacs de Haute-Bavière, les bords du Danube et du Main, ainsi que les collines romantiques et sauvages de la Forêt bavaroise, du Jura franconien et du Spessart.

Mais la Bavière est aussi un paradis pour les amateurs d'art qui y trouveront d'imposantes cathédrales, des monastères baroques, des églises rococo baignées de lumière, divers monuments néo-classiques, et des châteaux semblant sortir de contes de fées. Il y a donc beaucoup de choses à y découvrir, que ce soit des villes épiscopales comme Ratisbonne, Bamberg ou Würzburg, ou encore d'anciennes cités impériales comme Augsbourg et Nuremberg.

Bayreuth pflegt seine
Musiktradition: im
Rokoko-Opernhaus
(oben) und im Fest-
spielhaus (unten),
wo alljährlich die
Wagnerfestspiele
stattfinden.

Bayreuth cultivates
its musical tradition
inside the rococo
Opera (top) and in
the Festival Theatre
(bottom) where the
Wagner festivals are
held annually.

Bayreuth a derrière
elle une longue tradi-
tion musicale. C'est
dans l'Opéra de style
rococo (en haut) et le
Festspielhaus (en bas)
que se déroule le
festival Wagner.

Vorangehende Dop-
pelseite: Ein Höhe-
punkt des Barocks ist
die Würzburger
Residenz mit dem
Treppenhaus von
Balthasar Neumann
und den Fresken von
Giovanni B. Tiepolo.

Previous double page:
The Würzburg
Residenz is one of the
highlights of the ba-
roque style. The stair-
case by Balthasar
Neumann is graced
with frescoes by
Giovanni B. Tiepolo.

Double page précé-
dente: le palais des
princes évêques de
Würzburg est un chef-
d'œuvre de l'art baro-
que. L'escalier cons-
truit par Neumann
est décoré de fresques
réalisées par Tiepolo.

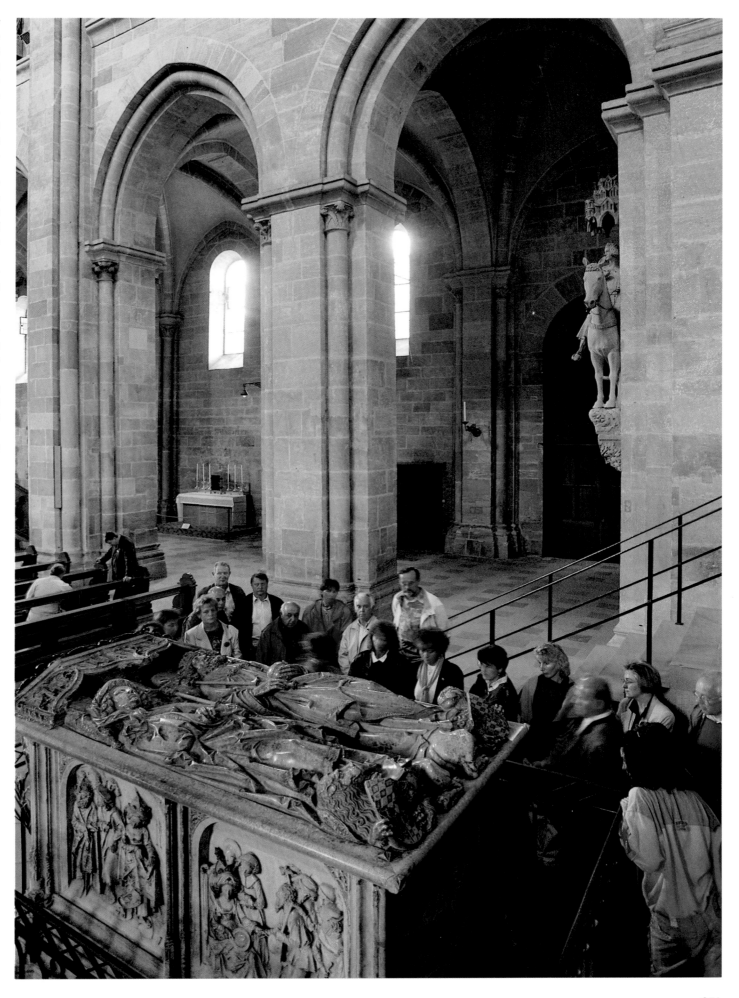

as Grab von Kaiser Heinrich II. und seiner Frau im Dom in Bamberg wurde von Tilman Riemenschneider im spätgotischen Stil gestaltet. Im Pfeiler (rechts im Bild) sieht man den Bamberger Reiter».

The tomb of Emperor Heinrich II and his consort in Bamberg's cathedral was created in Late Gothic style by T. Riemenschneider. The «Bamberg horseman» can be seen on the pillar (right).

Tombeau de l'empereur Henri II et de son épouse dans la cathédrale de Bamberg. Cette œuvre de style gothique flamboyant est due à Tilman Riemenschneider. À droite, le célèbre chevalier de Bamberg.

Das Anfang des 17. Jahrhunderts im Stil italienischer Palazzi erbaute Rathaus ist das Wahrzeichen der Stadt Augsburg.

Augsburg's landmark is the early 17th century Town Hall built in the Italian Palazzo style.

L'hôtel de ville d'Augsbourg, bâti au début du XVIIᵉ siècle dans le style des palais italiens, est l'emblème de la ville.

Rothenburg ob der Tauber hat sein mittelalterliches Aussehen weitgehend bewahrt. Das Rathaus wurde zwischen dem 13. und 18. Jahrhundert erbaut.

Rothenburg ob der Tauber has largely retained its medieval appearance. The Town Hall was built between the 13th and 18th centuries.

Rothenburg ob der Tauber a conservé son aspect médiéval. L'hôtel de ville fut construit du XIIIᵉ au XVIIIᵉ siècle.

Am Dreiflüsseeck in ssau vereinigen sich Inn und Ilz mit der Donau zu einem mächtigen Strom.

The Inn and the Ilz rivers merge with the Danube at the Three Rivers Corner in Passau to form a mighty river.

À Passau, l'Inn et l'Ilz se jettent dans le Danube, donnant aissance à un fleuve majestueux.

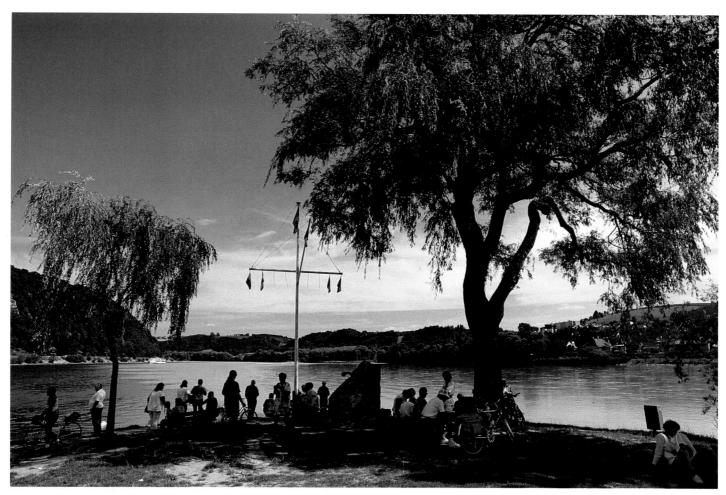

n Passau aus kann n weite Radtouren an der Donau ma- n oder per Boot die ei Flüsse erkunden.

From Passau, it is ossible to undertake long bicycle tours ong the Danube, or to explore the three rivers by boat.

sau offre des possi- ités de promenades bateau sur ses trois rs d'eau ou de ran- nnées à bicyclette le long du Danube.

Der Prunksaal der Münchner Residenz ist das zwischen 1569 und 1600 erbaute und ausgeschmückte Antiquarium.

The magnificent central hall of the Munich Residenz is the Antiquarium, built and decorated from 1569 to 1600.

Le gigantesque Antiquarium, construit entre 1569 et 1600, est la salle la plus prestigieuse de la Résidence de Munich.

Besucher aus aller Welt strömen jedes Jahr zum Münchner Oktoberfest, dem größten Volksfest der Welt.

Visitors from all over the world stream to Munich's annual Oktoberfest, the world's largest folk festival.

Chaque année, des visiteurs venus de tous les pays se rendent à la fête de la bière, la plus grande fête populaire au monde.

282

Blick auf das Alte
Rathaus (links) und
die Heilig-Geist-
Spitalkirche im
Zentrum Münchens.

View of the Old Town
Hall (left) and the
Holy Ghost Hospital
Church in the
centre of Munich.

L'ancien hôtel de ville
(à gauche) et l'église
du St Esprit,
deux édifices du
centre de Munich.

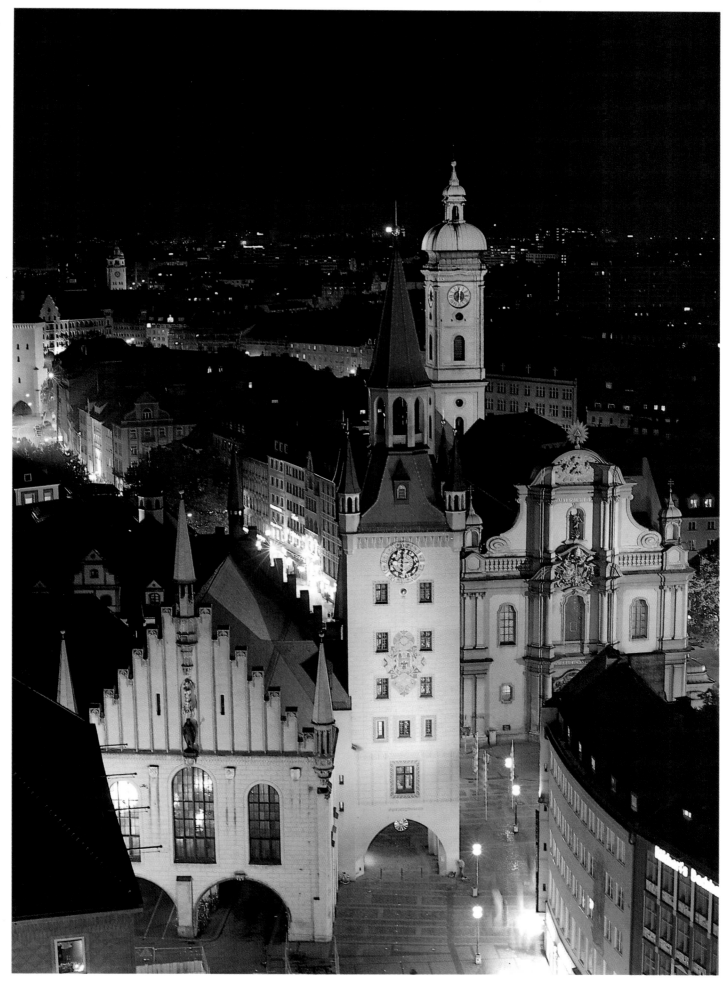

Folgende Doppelseite:
Die wuchtigen Türme
der Frauenkirche be-
herrschen das Stadt-
bild Münchens.

Following double
page: The massive
towers of the Church
of Our Lady dom-
inate the skyline
of Munich.

Double page sui-
vante: les tours de la
Frauenkirche do-
minent Munich.

283

Das Schmücken und
Aufstellen eines Mai-
baums, eines alten
Prestige- und Frucht-
barkeitssymbols, ist
ein heute vielfach wie-
derbelebter Brauch.

The tradition of dec-
orating and raising
a maypole, an ancient
symbol of prestige
and fertility, has
been revived.

La plantation et la dé-
coration d'un arbre de
mai, symbole de pres-
tige et de fécondité,
sont de vieilles tradi-
tions qui reviennent
au goût du jour.

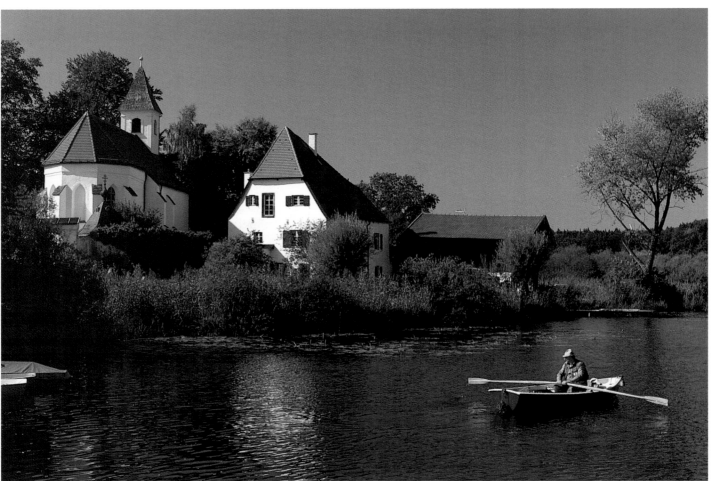

Nördlich vom
Chiemsee liegt der
kleine Klostersee mit
dem gotischen Kirch-
lein St. Walburgis.

North of Lake
Chiemsee is the little
Lake Klostersee with
the tiny Gothic church
of St. Walburgis.

La petite église de
St Walburgis se dresse
au milieu du lac de
Klostersee, au nord
du Chiemsee.

as Fronleichnams-
fest feiert man in
Bayern traditionell
it einer Prozession.

A Corpus Christi
procession is part of
one of Bavaria's
traditional church
festivals.

La procession de la
ête-Dieu fait partie
des traditions reli-
gieuses bavaroises.

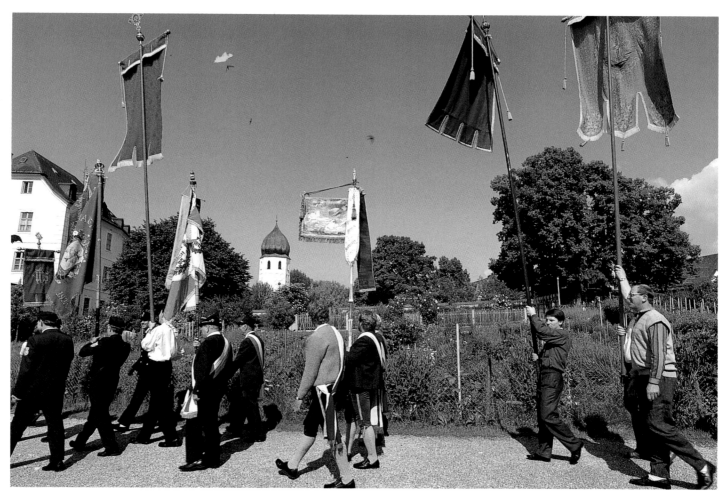

ruck ist ein belieb-
ter Segelhafen am
ordufer des Chiem-
dem sogenannten
ayerischen Meer».

bruck is a popular
sailboat harbour
n the north shore of
Lake Chiemsee,
the so-called
«Bavarian Sea».

eebruck est un port
plaisance situé sur
la rive nord du lac
Chiemsee, appelé la
«mer bavaroise».

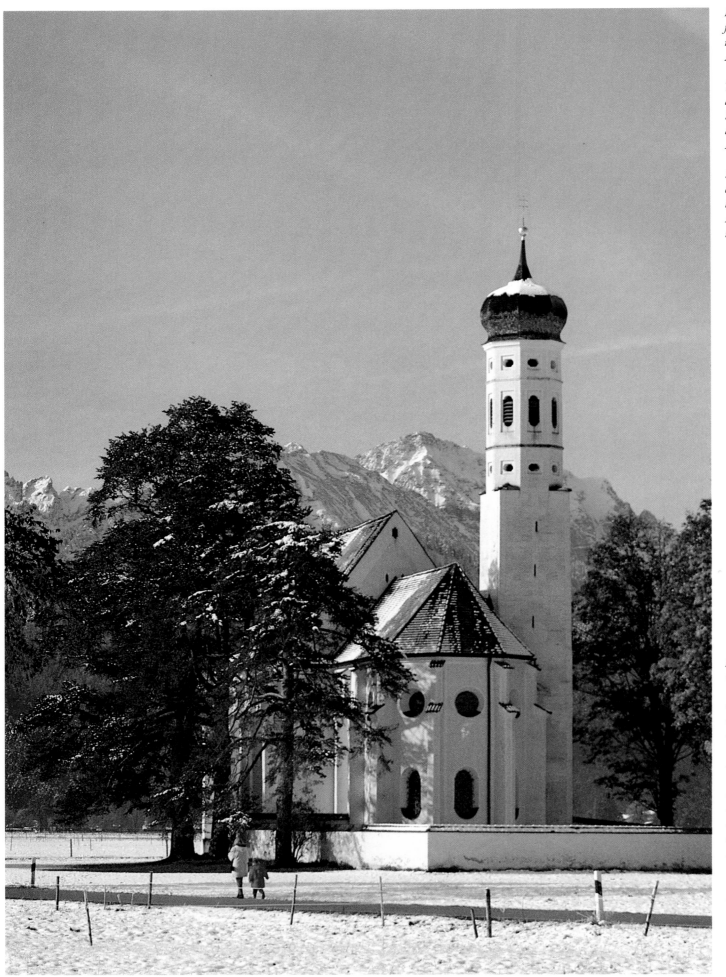

290

*ben und unten: Mit
2963 Metern Höhe
st die Zugspitze der
vielbesuchte) höchste
Berg Deutschlands.*

*op and bottom: The
gspitze (9,630 feet)
s the (much visited)
highest mountain
in Germany.*

*En haut et en bas: la
Zugspitze (2 963 m)
le point culminant
d'Allemagne.*

*lgende Doppelseite:
Mittelalterliche Bur-
gen und Szenerien
aus Wagner-Opern
inspirierten König
Ludwig II. beim Bau
nes Märchenschlos-
s Neuschwanstein.*

*Following double
age: Medieval cast-
les and Wagnerian
era scenery inspired
King Ludwig II
when building his
fairy-tale castle
Neuschwanstein.*

*Double page sui-
vante: le château de
Neuschwanstein,
conçu par Louis II
nspire des châteaux
ts du Moyen Âge et
de divers décors des
opéras de Wagner.*

Baden-Württemberg
Baden-Württemberg
Bade-Wurtemberg

Baden-Württemberg ist mit einer Fläche von 35 751 Quadratkilometern und rund zehn Millionen Einwohnern das drittgrößte Bundesland Deutschlands und gilt – dank des enormen wirtschaftlichen Aufschwungs der letzten Jahrzehnte – auch als «Musterländle» der Nation. Der sprichwörtliche Fleiß seiner Einwohner ist einer der entscheidenden Faktoren dieses Erfolges, der seit der Entwicklung des ersten Automobils durch Gottlieb Daimler und Wilhelm Meybach 1886 unter einem «guten Stern» steht. Industrie und Handel konzentrieren sich in Karlsruhe mit seinem großen Hafen am Rhein, in Mannheim, Heilbronn und Ulm und vor allem in und um Baden-Württembergs Hauptstadt Stuttgart, die auch als Kunst-, Ballett- und Theaterstadt internationales Renommee genießt.

Kunstschätze findet man im ganzen Bundesland: Seien es die romanischen Kirchen am Bodensee, die gotischen Dome in Freiburg und Ulm, das Zisterzienserkloster Maulbronn oder prächtige Barockbauten wie die Abteikirche in Zwiefalten. Die altehrwürdigen Universitätsstädte Heidelberg und Tübingen aber umgibt auch heute noch eine Aura der Romantik längst vergangener Tage.

In Baden-Württemberg lebt man da, wo andere Urlaub machen. Wandern, Baden, Kuren kann man vom Schwarzwald bis zum Bodenseegebiet, am Neckar und im Taubertal. Thermalquellen und Gesundbrunnen sprudeln in 59 Kurorten, deren Spektrum vom mondänen Baden-Baden bis zu kleinen, familiären Kureinrichtungen reicht. Wer seinen Durst aber nicht nur mit Heilwasser löschen will, wird die guten Rebsorten zu schätzen wissen, die im milden Klima Baden-Württembergs heranreifen.

Baden-Württemberg, the third largest state in the Federal Republic of Germany, has a surface area of 14,000 square miles and approximately ten million inhabitants. As a result of the enormous economic upswing over the last decades, it is considered the nation's «show-place» state. The proverbial diligence of its inhabitants is one of the decisive factors of this success, which has been under a «lucky star» since the development of the first automobile in 1886. Industry and trade are concentrated in Karlsruhe, Mannheim, Heilbronn and Ulm, and especially in and around Baden-Württemberg's capital of Stuttgart, which also enjoys international renown as a city of art, ballet and theatre.

Art treasures can be found throughout the state: Romanesque churches on Lake Constance, Gothic cathedrals in Freiburg and Ulm, the Cistercian Cloister of Maulbronn and splendid baroque buildings such as the Abbey Church in Zwiefalten. Today, the romantic aura of times long past still clings to the venerable university cities of Heidelberg and Tübingen. In Baden-Württemberg, people live where others vacation: from the Black Forest to the area around Lake Constance, on the Neckar and in the Tauber Valley. Thermal springs and spa waters effervesce in 59 health resorts, whose gamut ranges from highly fashionable Baden-Baden to small informal spas. Those wishing to quench their thirst with something other than the spa waters will appreciate the good wines maturing in the country's mild climate.

Par sa superficie de 35 751 kilomètres carrés et sa population (environ dix millions d'habitants), le Bade-Wurtemberg se place au troisième rang des Länder de République fédérale. En raison de son essor économique remarquable durant ces dernières décennies, on le considère souvent comme un Land modèle. Ce succès est dû en grande partie au zèle proverbial des habitants, qui vivent sous une «bonne étoile» depuis 1886, date de la fabrication de la première automobile par Gottlieb Daimler et Wilhelm Meybach. Les activités industrielles et commerciales sont concentrées à Heilbronn, Mannheim, Ulm et Karlsruhe – disposant d'un grand port sur le Rhin –, et surtout à Stuttgart, la capitale, qui jouit d'une réputation internationale de métropole du théâtre, de la danse et des beaux-arts.

Les trésors artistiques sont bien répartis dans l'ensemble du Land: citons les églises romanes du lac de Constance, les cathédrales gothiques de Fribourg et d'Ulm, l'abbaye cistercienne de Maulbronn, les superbes édifices baroques tels que l'abbatiale de Zwiefalten. Quant aux vénérables villes universitaires d'Heidelberg et de Tübingen, elles sont toujours auréolées de leur gloire romantique passée.

Les habitants du Bade-Wurtemberg vivent là où d'autres viennent en vacances: de la Forêt-Noire au lac de Constance, de la vallée du Neckar à celle du Tauber. On ne compte pas moins de cinquante-neuf stations thermales, depuis Baden-Baden, ville thermale mondaine, aux petits établissements familiaux. Quant à ceux qui ne veulent pas étancher leur soif uniquement avec de l'eau minérale, ils sauront apprécier les fruits des bons cépages mûris au doux climat du Bade-Wurtemberg.

Die Kirche St. Michael ist eine der Hauptattraktionen von Schwäbisch Hall im Nordosten Baden Württembergs.

The church of St. Michael is one of the main attractions in Schwäbisch Hall in the north-east of Baden-Württemberg.

L'église St Michel est l'un des principaux monuments de Schwäbisch Hall, ville au nord-est du Bade-Wurtemberg.

Vorangehende Doppelseite: Über der Stadt Wertheim erhebt sich eine Burg aus dem 12. Jahrhundert.

Previous double page: A 12th century castle rises over the city of Wertheim.

Double page précédente: forteresse en ruine du XIIe siècle dominant la ville de Wertheim.

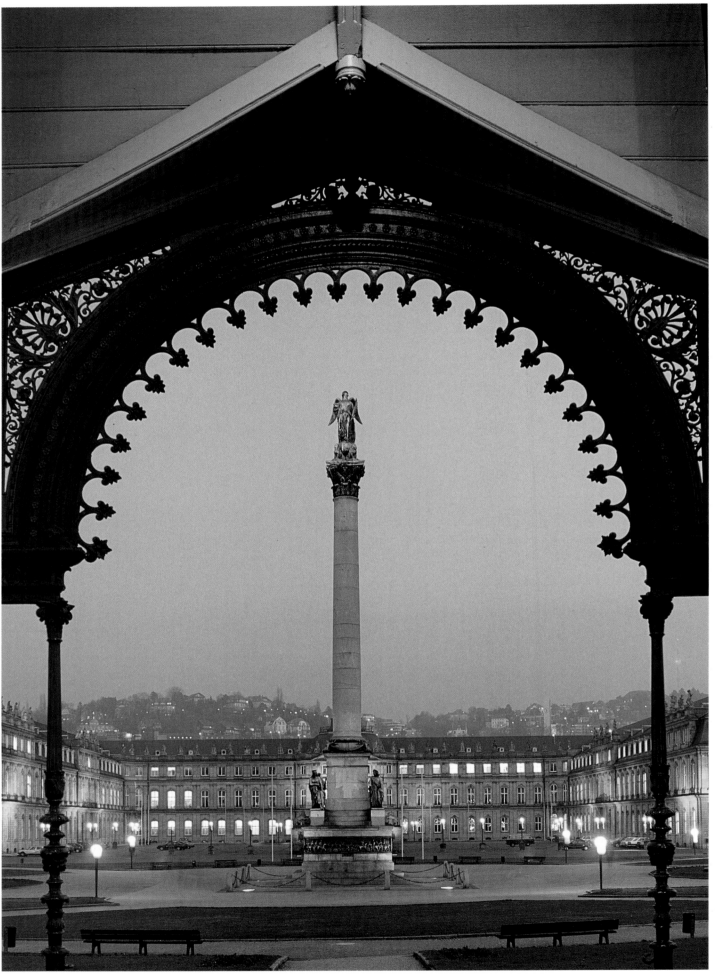

Der Stuttgarter Schloßplatz wird von der spätbarocken Dreiflügelanlage des Neuen Schlosses und der Jubiläumssäule aus dem Jahr 1841 bestimmt.

Stuttgart's Castle Square is defined by the late baroque triple-winged New Castle and the Jubilee Column from 1841.

La place du Château de Stuttgart, délimitée par les trois ailes du Nouveau Château et dominée par la colonne du Jubilée, érigée en 1841.

Vorangehende Doppelseite: Das Große Haus des Württembergischen Staatstheaters in Stuttgart hat ein Ballettensemble von Weltran...

Previous double page: Württemberg's state theatre in Stuttgart has a world-renown ballet troupe.

Double page précédente: célèbre grâce ... sa compagnie de balet, le Théâtre national du Wurtemberg à Stuttgart.

302

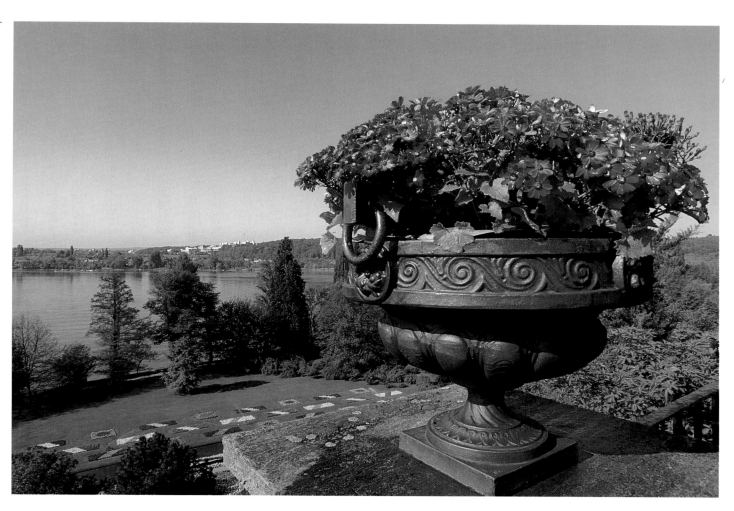

...en und unten: Auf ...er Insel Mainau im ...Bodensee gedeihen ...bst tropische Pflan- ...en – und Tiere, wie ...der in Südasien be- heimatete Pfau.

...op and bottom: On ...e island of Mainau ...in Lake Constance ...ven tropical plants ...thrive – as do ani- ...ls, such as the pea- ...k, whose home is in South Asia.

En haut et en bas: ...'île de Mainau sur ...e lac de Constance. ...climat y est si doux ...qu'il convient aux ...antes tropicales et à ...s paons, originaires d'Asie du Sud.

...gende Doppelseite: ...lick auf die Dächer ...er mittelalterlichen ...Stadt Meersburg am Bodensee.

Following double- page: View of the ...ofs of the medieval ...ty of Meersburg on Lake Constance.

Double page sui- vante: vue sur les ...toits de la ville mé- ...vale de Meersburg, au bord du lac de Constance.

Das gotische Fridolinsmünster in Bad Säckingen wurde im 17. Jahrundert im Barockstil erneuert. Bunte Wimpel und Luftballons sind der Schmuck für die Fastnachtszeit.

Originally Gothic, the Fridolin Minster in Bad Säckingen, renovated in the baroque style in the 7th century. Colourful pennants and balloons are ornamention for the carnival.

Le Fridolinsmünster de Bad Säckingen était à l'origine un édifice gothique. Il fut remodelé dans le style baroque au XVIIᵉ siècle. Les fanions et les ballons sont des décorations de carnaval.

Das Ravensburger
Tor in Wangen,
einem der ältesten O[...]
te des Allgäus. Das
Renaissancetor wur[...]
im 17. Jahrhundert
erhöht und mit vier
Ecktürmchen gekrön[...]

The Ravensburg
Gate in Wangen,
one of the oldest
towns in the Allgäu.
The Gate, originally
in Renaissance style,
was raised in
the 17th century and
crowned with four
corner towers.

La porte de
Ravensburg à
Wangen, l'une des
plus vieilles villes de
l'Allgäu. Cet édifice
Renaissance fut
rehaussé et agrément[...]
de quatre tourelles
d'angle au
XVIIe siècle.

Oben: Blick auf die Innenstadt von Freiburg im Breisgau. Unten: Der Wasserturm ist das Wahrzeichen von Mannheim.

Top: View of the inner city of Freiburg in Breisgau. Bottom: The water tower is Mannheim's landmark.

Ci-dessus: vue du centre de Fribourg-en-Brisgau. Ci-dessous: le château d'eau, emblème de Mannheim.

Folgende Doppelseite: Vom 1 414 Meter hohen Belchen im Südbreisgau sind an klaren Tagen am Horizont die Alpen zu sehen.

Following double page: the Alps are visible in clear weather from the 4,595-foot-high Belchen in south Breisgau.

Double page suivante: depuis le Belchen, (1 414 m) au sud du Brisgau, on peut apercevoir par temps clair les Alpes à l'horizon.